D1282071

Anne Meurois-Givaudan

Celui qui Vient, tome 2

LES DOSSIERS

AMRITA

Ouvrages de A. et D. Meurois-Givaudan

RECITS D'UN VOYAGEUR DE L'ASTRAL

TERRE D'EMERAUDE
Témoignages d'outre-corps

DE MEMOIRE D'ESSENIEN *(tome 1)*
L'autre visage de Jésus

CHEMINS DE CE TEMPS-LA
De mémoire d'Essénien (tome 2)

LE VOYAGE A SHAMBHALLA
Un pèlerinage vers Soi

LES ROBES DE LUMIERE
Lecture d'aura et soins par l'Esprit

PAR L'ESPRIT DU SOLEIL

LES NEUF MARCHES
Histoire de naître et de renaître

SEREINE LUMIERE
Florilège de pensées pour le temps présent

WESAK
L'heure de la réconciliation

CHRONIQUE D'UN DEPART
Afin de guider ceux qui nous quittent

LE PEUPLE ANIMAL

CELUI QUI VIENT

Le catalogue des Editions AMRITA est adressé
franco sur simple demande

Editions AMRITA
24 580 - Plazac - France
Tél. : 53 50.79.54 - Fax : 53 50.80.20

Sommaire

Ma vie, comme pour beaucoup d'entre vous, est faite de hauts et de bas et jusqu'à présent, j'ai connu beaucoup de hauts.
Cette fois pourtant, je remercie tous ceux qui, parents et ami(e)s, m'ont permis de rester debout et celui qui m'a donné le courage nécessaire à l'écriture de cet ouvrage...

Avertissement au lecteur

Dans ce livre-dossier vous trouverez des articles dont le style est très catégorique. Bien que partageant l'avis des auteurs je sais que la Vérité ne peut être un bloc monolythique... elle n'est pas Une et ses multiples facettes font que l'être qui la cherche est en perpétuelle quête.

Ces dossiers proviennent en grande partie de journalistes dont M. Hugo NHART, certains autres m'ont été donnés par des chercheurs scientifiques, d'autres encore sont extraits d'ouvrages de spiritualité. L'ensemble peut donc paraître hétéroclite et je m'en excuse mais c'est là le principe même d'un livre-dossier.

Si je livre ces documents à votre réflexion, ce n'est pas pour vous convaincre que tout ce qu'ils contiennent est vrai. C'est pour que vous ayez un aperçu de ce qui se passe actuellement sur notre Terre. La liberté de pensée et d'opinion est pour moi la sauvegarde de toute Liberté avec un grand L. Vous êtes bien sûr en droit de douter du contenu de ce livre. Doutez jusqu'à ce que vous ayez vos propres certitudes et que vous soyez vous-mêmes convaincus. Vous ne devez être assujettis à rien de ce qui est dit ou écrit. "Le discernement ne sert pas à rejeter mais à comprendre pour aider". Cela fait partie de votre Liberté mais alors, j'émets le souhait que votre esprit critique s'exerce jusqu'au bout et que vous puissiez mettre aussi en doute ce qui nous est quotidiennement livré pour information.

Mon autre souhait est que vous puissiez vous donner les moyens de chercher comme de véritables chercheurs, sans a priori ni dans un sens ni dans un autre, avec l'esprit libre de toute volonté de polémique ou de pouvoir. C'est l'un des moyens d'éviter l'ignorance qui entraîne tant de maux.

Peut-être aussi trouverez-vous ces éléments déprimants et propices à faire "baisser les bras". Je sais pourtant qu'il y a toujours, au bout de chaque épreuve, de chaque malversation, une lumière pour celui qui accepte de transformer l'obstacle en tremplin. Tout est dans l'œil de celui qui regarde. Savoir que la Vie jamais ne s'arrête et qu'il nous est demandé de jouer au mieux le rôle qui nous est proposé pour un temps, peut nous permettre d'avoir un autre regard, un regard d'altitude qui dédramatise les événements et prend l'humour et l'amour comme ses meilleurs partenaires.

Introduction

« Quand l'ordre établi vous commande de faire ce que la morale réprouve, il faut savoir dire non. »
Elie de St Marc

C'était un jour ou plutôt… un soir, un de ces soirs apparemment banals où rien ne semble pouvoir arriver d'autre que ce que l'on connaît déjà. Un soir comme ceux que je connais peu, ni froid, ni chaud, incolore, inodore, un soir qui ne sait pas ce qu'il veut, semblable en cela à une multitude d'humains qui veulent sans vouloir, qui aiment sans aimer, qui ont mal et font mal sans même savoir pourquoi.

Ce soir donc, à l'époque où Daniel et moi-même étions en pleine écriture de **"Celui qui vient"**, un appel hors de nos corps de chair se fit sentir, pesant, lancinant, impératif ; or il n'avait rien de commun avec ce que nous connaissions de nos guides habituels. Non, cette fois, l'appel ressemblait plus à une convocation, à un ordre.

Certes, nous n'étions pas "obligés" de nous rendre à cette demande mais, mus par une certaine curiosité, un besoin de savoir, de comprendre, nous sortîmes de nos enveloppes de chair. C'est alors que nous avons eu LA Rencontre et qu'un spectacle étrange s'offrit aux yeux de mon âme sur un plan très proche du plan terrestre. Un spectacle que je ne puis oublier car il a fait depuis basculer ma vie d'une curieuse manière.

Imaginez une sorte de tribunal sans décor, sans chaleur, une estrade avec trois chaises sur lesquelles sont assis trois hommes, une chaise placée face à eux. Daniel y prend place… je suis sur le côté, je regarde.

Ces trois hommes, je les connais, nous les connaissons, nous les avons vus signer des décrets, prendre des décisions mortelles, agir en secret... nous allons parler d'eux dans les derniers chapitres de **"Celui qui vient"**. Je les regarde attentivement et les flammèches qui se dégagent d'eux ne nous sont aucunement bénéfiques. Elles ont les couleurs de la colère et d'une féroce détermination. Je sais dès ce moment qu'ils ne nous laisseront plus jamais en paix... Je sais ce qu'ils ne veulent pas... ils ne veulent pas de nous !

Ils s'adressent alors à Daniel pour lui demander de cesser d'écrire, Daniel se balance sur sa chaise, l'air moqueur et sans concession. Ce à quoi ils rétorqueront ces mots sybillins :

« C'est ce que nous verrons ! »

Ils se sont adressés à Daniel, non à moi et je n'en comprendrai que bien plus tard la raison. Nous ne sommes, cela est évident, pas les seuls à écrire sur le sujet que je vais aborder dans cet ouvrage, nous sommes même moins précis que nombre d'auteurs dont le travail spécifique est de dénoncer les agissements du "GOUVERNEMENT MONDIAL", (ce gouvernement secret, caché mais puissant qui "tire les ficelles" de nos gouvernements officiels)... alors, pourquoi écrire encore sur ce sujet ? Est-ce par désir de combattre une énergie que nous redoutons ? Est-ce parce que le thème est à la mode et nous fait frissonner comme pour un mauvais film de science-fiction ?

Rien de tout cela ne m'habite à l'heure où j'écris ces mots sur le papier. Je ne sais de quoi demain sera fait car je ne sais jusqu'où ira ma détermination mais je n'ai pas peur de perdre, d'autres gagneront après moi, encore et encore. Il me reste si peu, qu'en creusant au plus profond de moi, je sais seulement ce que je ne veux pas... Je refuse l'ignorance. L'ignorance est une maladie de l'âme, insidieuse et perverse, elle coule en nous les prémices de nos lavages de cerveau, de nos faiblesses, de nos lâchetés involontaires.

Je ne fais ici le procès de personne, je ne rentre en guerre contre personne mais l'enjeu qui se joue sur la terre est aujourd'hui capital et, par quelques exemples précis, dans des domaines choisis, je souhaite que le lecteur de ce livre-dossier puisse prendre conscience d'une certaine manipulation dont il est l'objet, involontaire bien souvent.

Le véritable travail est toujours intérieur. Lorsque nous serons de plus en plus conscients que nos goûts, nos choix, nos pensées, nos actions sont dirigés par d'autres que nous, par ceux que nous acceptons comme dirigeants de nos vies, de nos Etats, de nos Pays, alors peut-être que dans un ultime sursaut vers la Vie, nous chercherons à retrouver notre "souveraineté". Avec une conscience plus vaste, nous acquerrons peu à peu une autonomie, celle de pouvoir dire OUI, de savoir dire NON, afin que ce libre-arbitre que nous revendiquons tous ne soit pas un vain mot. Choisir, c'est reconnaître que nous ne saurons jamais tout mais qu'au moins nous prenons conscience que ce qui nous est dit n'est pas toujours la vérité, n'est pas souvent la vérité.

Lorsque nous saurons lire un journal en sachant que tout n'y est pas vrai, lorsque nous pourrons écouter la radio, regarder la télévision en faisant le tri entre les nouvelles objectives et les subjectives qui tentent de nous faire penser et agir comme certains le souhaitent si intensément, alors et alors seulement nous aurons suffisamment grandi pour être des hommes et des femmes sans béquilles et sans peur et, à cet instant précis, téléviseurs et revues cesseront de nous offrir leurs spectacles fabriqués !

Il est des moments dans la vie où il faut faire des choix. Les motivations sont ce qu'elles sont et ces choix sont ce qu'ils sont. Ces motivations sont multiples mais nous ne pouvons continuer à fermer les yeux... par crainte de devoir agir, de devoir choisir et peut-être de perdre.

La peur de perdre, le voilà, le grand mot, l'un des grands maux qui habitent l'homme de la Terre et lui font accepter n'importe quoi au risque de perdre réellement sa dignité d'être humain. Nous sommes tous, sans exception aucune, habités un jour ou l'autre par des peurs. Celles-ci, comme les tentacules d'une pieuvre géante, envahissent tout, nos plans physiques, affectifs, mentaux et spirituels. Elles sont là, sous des formes larvées, cachées, déguisées. Elles nous font croire que "l'impossible" et "le hasard" existent... elles nous persuadent même que si nous perdons notre travail, la personne aimée, notre confort, nos amis, notre santé, notre ascendant sur autrui, notre crédibilité, nous ne serons plus rien. Elles nous font oublier la différence entre l'être et l'avoir, elles nous conduisent à croire que notre vie est plus précieuse que nos idéaux, que notre pouvoir d'achat est plus grand que nos pensées. Elles nous incitent à accepter l'inacceptable et à penser que rêver notre vie est plus confortable que vivre nos rêves. Elles nous portent à prendre nos pulsions pour des réalités et nous entraînent vers l'oubli de l'essentiel au risque de nous perdre.

Ce n'est pourtant pas là un appel au combat ni la mise en évidence d'une dualité faite de blanc et de noir. Il serait trop simple de penser que s'il existe aujourd'hui un "gouvernement mondial" nous n'y sommes pour rien.

Nous en sommes tous responsables et nous y avons collaboré à notre façon car l'humanité a oublié sa dignité !

Dans **"Celui qui vient"** l'un de nos instructeurs, à ce sujet, s'adresse à nous en ces termes : *« Tant qu'une partie de vous demeure en servage, il y aura une place sur cette Terre pour une organisation telle que vous la voyez ici. Ces hommes sont la résultante de vos faiblesses et de vos obscurités. Ils puisent leurs forces dans votre incapacité à percevoir la trame de ce qui se passe sur un plan mondial en raison de la paresse et de l'infantilisme du fonctionnement de la pensée individuelle. »*

Peut-être est-il maintenant essentiel de prendre de l'altitude. Si ce "gouvernement mondial" s'est mis en place depuis si longtemps et si aujourd'hui il en est à une phase ouverte de son développement, c'est parce qu'une partie de nous l'a voulu ainsi. "Prendre de l'altitude" ne veut pas dire" se battre" ni "juger", mais connaître afin de ne plus dire OUI à l'inacceptable, afin de ne plus tendre la main à ce que l'on refuse au plus profond de soi.

Savoir, c'est expérimenter la confiance, non la confiance aveugle mais celle qui n'ignore pas ce qui se passe, celle qui, consciente des possibles manipulations, accepte de jouer le jeu avec ses propres cartes et non avec des cartes truquées.

A travers les divers articles et documents mis à notre disposition nous allons essayer de comprendre comment des êtres peuvent modeler le pouvoir en place, comment ils influencent les esprits par des moyens très technologiques, de quelle façon ils favorisent les conflits entre ethnies au sein d'un même pays ou les guerres entre pays. Comprendre ne signifie pas "excuser" mais n'est-il pas essentiel de savoir préserver le Bien qui nous est acquis et qui a pour nom "liberté". Celle dont je parle tient plus de la liberté de penser et donc d'agir en conséquence, que d'une liberté physique. Même derrière des barreaux, l'Homme qui peut penser sait aussi qu'il peut agir. Je correspond actuellement avec deux êtres, l'un en Inde, l'autre en France. Ils sont en prison depuis des années. L'un depuis bientôt deux ans, l'autre depuis sept ans environ mais à travers leurs pensées, leurs lettres, l'impact qu'ils ont sur ceux qui les approchent, ils sont plus actifs qu'une bonne partie d'entre nous. Conscients de cela, les êtres de pouvoir ne cherchent pas simplement à supprimer une liberté physique, ils savent créer des épidémies, nous faire douter les uns des autres, instaurer de nouveaux cultes et mettre les anciens à leur service…

Nous, nous n'avons rien de pareil à notre disposition et pourtant... sans nous, sans notre collaboration, sans notre passivité, ce "gouvernement" ne peut exister. Sans nous, ils ne sont plus que des ballons gonflés d'air, sans aucun pouvoir.

Dans les chapitres qui suivent nous reprendrons un à un, à titre d'exemple, les éléments majeurs dont se sert cette "société dans la société" pour fonctionner car, souvenons-nous en, même l'ombre est au service de la lumière et rien ne peut se faire sans notre accord (même tacite). Comme il est dit dans l'ouvrage **"Les Messagers de l'Aube"** :

« Il y a une certaine complaisance sur terre. La conscience de cette planète est caractérisée par une attitude se résumant à ceci : faites-le à ma place. Je ne tiens pas à assumer quelque responsabilité que ce soit. Vous allez être mon fonctionnaire, mon patron, mon professeur et vous déciderez à ma place. »

Ernest Hemingway a écrit un jour : *« Le monde est un endroit bien et vaut la peine d'être défendu. »*

Défendre n'est pas le mot que je choisirai ici, mais, préserver, sans aucun doute et mieux connaître de toute façon. Comme chacun d'entre nous, le Monde porte en lui les racines du Bien et du Mal mais, surtout sans nulle hésitation, il porte aussi au-delà de cette dualité le nom d'Amour avec un grand A. Si je dénonce ici la façon dont les inventions, les lois, les décrets peuvent être détournés au profit de quelques-uns, ce n'est certes pas pour créer plus de dualité encore ou d'animosité mais pour démonter les rouages grossiers ou subtils d'une machine et d'une machination que nous pouvons et devons cesser d'alimenter.

Aujourd'hui et par expérience vécue, je sais que l'idée vient avant l'acte et que si l'on veut agir sa vie, il faut avant tout la penser... mais, pour penser "juste", il est indispensable de connaître. La pensée nous conduit là où nous en sommes et transformera notre vie comme elle l'a toujours fait, ainsi que celle de la planète-terre. A nous donc de jouer juste !

– 1 –

Le Gouvernement Mondial

« Tous les dictateurs et tous les tortionnaires du monde vivront en vous et par vous tant que vous n'aurez pas intégré l'essence du mot" liberté". »

Celui qui vient

Je suis là, assise parmi une multitude de dossiers, les uns m'ont été remis en mains propres à l'étranger, d'autres m'ont été envoyés, certains viennent de France… et je ne sais par où commencer. J'ai tout à coup une immense impression de solitude plus intérieure encore qu'extérieure. Solitude face au choix que je vais devoir opérer parmi tous ces renseignements, solitude face à la façon dont je vais devoir les transmettre. Je n'ai pas pour habitude de traiter ce type de sujet même si cela m'intéresse au plus haut point ; je n'aime pas le ton polémique de quelques-uns de ces documents mais leur intérêt compense largement cet aspect. Les Etres de Lumière avec lesquels je travaille jusqu'à présent m'ont confié cette tâche mais bien que je sente régulièrement leur présence je n'ai aucun doute sur un fait : Ils ne feront jamais le "travail" à ma place.

Je m'interroge : *« Comment aborder un tel sujet sans créer de peur ? Comment montrer des documents sans induire de dualité ? »*

Alors peu à peu la réponse s'insinue en moi comme une onde de paix. C'est toi, lecteur, qui fera le choix de la peur ou de l'Amour, de la mort ou de la Vie. Je vais livrer certains documents exclusifs tels que je les ai reçus. Il me faudra bien sûr élaguer, choisir, mais de ton regard va dépendre la suite... et de toute mon âme, j'espère que cette suite sera ta volonté de rejoindre le "Grand Courant de Vie".

Quel est donc ce "Gouvernement Mondial" ? Par quels moyens agit-il ? Que pouvons-nous faire ?

Je suis consciente que toutes ces questions commencent à trouver leurs réponses à travers d'excellents ouvrages que je citerai à la fin de ce dossier. Pourtant, si je tiens à y apporter ma pierre c'est aussi que notre moyen d'investigation, le voyage astral, est tout à fait privilégié et confirme ce que d'autres disent déjà. Les définitions tendant à permettre de mieux cerner ce "gouvernement" sont nombreuses. En voici quelques-unes dont la plupart sont tirées de nos ouvrages, donc de nos contacts avec les Etres de lumière qui nous ont servi de guides jusqu'à présent.

"L'aspect incarné des énergies de l'ombre n'est pas du domaine du mythe", nous dirent-ils un jour en nous faisant comprendre combien il est facile d'augmenter la puissance d'un mouvement, d'une personne ou d'une idée en lui donnant plus d'importance que nécessaire, et pourtant... nous ne pouvons plus fermer les yeux car ignorer les forces qui se jouent de notre ignorance, nier les ombres qui grandissent chaque jour sur notre planète, c'est refuser d'emblée l'action qui construit et anime toute entité avançant sur la route de la Vie.

Les paroles de l'Etre de lumière rencontré en Syrie et retransmises dans notre livre **"Par l'Esprit du Soleil"** sont éloquentes à ce sujet et en ce qui concerne L'ORIGINE DE CE "GOUVERNEMENT" :

« Il y a, depuis fort longtemps sur votre monde, un peuple d'êtres dont l'ego est comparable à un bloc de pierre non encore dégrossi. Ces êtres sont non seulement semblables à vous tous mais aussi vivent un peu en vous tous de par la puissance de leur psychisme. Ils sont issus des confins de votre univers, et la déstabilisation de leur sphère de vie les a contraints à s'incarner sous d'autres cieux pour parfaire leur évolution.

« Ces hommes sont un test pour l'ensemble de votre humanité... sans même le savoir, ils obligent votre cœur à la réaction, à la tension ou à la floraison complète. Voilà pourquoi mon Père a permis leur implantation sur cette planète, pour que toute maturation s'accomplisse, pour que le libre arbitre enfin en soit le fantastique agent.

« L'ombre se base aussi et surtout sur le peu de résistance physique et émotionnelle d'un grand nombre d'êtres en résonance avec ce que l'on pourrait appeler "une certaine longueur d'onde".

« L'obscurité, la souffrance sont donc des résultantes issues de deux forces qui se confondent en une à la surface et jusque dans les profondeurs de votre monde. L'une est de nature bien incarnée et agit sous la forme d'une organisation puissante aux immenses ramifications dans les milieux politiques, scientifiques, économiques et même religieux, l'autre est d'origine plus subtile mais non moins efficace ; elle provient de chacun de vous dont les pulsions nocives vont à tout instant grossir un sombre réservoir énergétique. »

Quelques années plus tard, notre contact avec le moine Cambodgien de **"Celui qui vient"** nous a permis de mieux comprendre encore LES ACTIONS DE CE "GOUVERNEMENT MONDIAL" :

« Vous venez d'avoir un aperçu de la maladie qui frappe actuellement l'humanité, reprend aussitôt l'un des trois Etres blonds. C'est une sorte d'infection savamment préparée puis entretenue. Elle a été semée sur un terrain fragile, réceptif et malléable, celui de la conscience humaine endormie, piégée dans ses propres théories. Voilà pourquoi elle s'est si bien étendue ; parce qu'elle est accueillie à force de faiblesse et d'aveuglement.

« Par qui les germes sont-ils entretenus aujourd'hui ? Par un très petit nombre d'êtres qui se sont regroupés sous la forme d'environ trois cents Organisations ou "familles". Ces dernières se situent très au-delà des Gouvernements officiels.

« Vous ne devez pas ignorer plus longtemps que leurs rouages sont basés sur le contrôle de la génétique et de tout le secteur de la recherche médicale, sur la maîtrise de la circulation de toutes les drogues, concrètes ou abstraites, de toutes les armes et évidemment sur la possession de la "Banque mondiale".

« Déclarons-le donc sans hésitation, il existe une conspiration mondiale qui, depuis cinq ou six de vos décennies, orchestre méticuleusement la déchéance de l'humanité terrestre. Dans quel but ? Nous y reviendrons.

"Ils ne représentent aucun Etat. Ils sont derrière les Etats, derrière les gouvernants qui font la "une" des médias. Ce sont ces hommes, et d'autres encore, qui imposent des dictateurs en tel point du globe ou qui font élire un président en tel autre point. Un certain nombre de vos dirigeants eux-mêmes en sont les dupes en ne mesurant pas l'étendue de leur capacité décisionnelle. Ces hommes sont en quelque sorte la matérialisation du... subconscient de l'humanité terrestre. Ils ont cependant une conception de l'avenir terrestre qui

dépasse l'entendement de l'"homme ordinaire". Cette conception se base sur la manipulation et l'asservissement de l'individu.

"Par exemple ?"

"...L'Organisation mondiale de la Santé, les Nations Unies, le Club de Rome, l'Institut Tavistock des relations humaines, la CIA... »

Sur les pages correspondant au dossier de ce chapitre, vous trouverez à titre indicatif deux tableaux éloquents tirés de l'excellent ouvrage des **"Sociétés Secrètes"** sur la mainmise de quelques-unes de ces organisations à des postes clés.

Les causes de la présence du gouvernement mondial sont multiples, historiques et interplanétaires. Il y a l'histoire révélée et celle que l'on nous cache. Il y a les loges secrètes et le reste. Elles ont dans leurs mains d'énormes pouvoirs, des technologies beaucoup plus avancées que ce que nous pouvons imaginer mais n'ont aucun intérêt à nous les faire partager, de façon à garder un ascendant sur ceux qu'elles veulent dominer.

Les "Illuminati" sont de celles-là.

Leurs agissements sur terre remontent à 3000 siècles av. J.-C. quand ils infiltrèrent "la Fraternité du serpent" en Mésopotamie et s'en servirent à des fins qui n'étaient guère positives.

Le fonctionnement des "Illuminati" comme de tout être avide de pouvoir se présente comme suit :

- Provoquer des conflits
- Ne pas s'en montrer l'instigateur
- Soutenir financièrement tous les partis en conflit
- Se faire passer pour le bienfaiteur qui peut mettre fin aux conflits.

Ainsi, les hommes en arriveront à implorer un gouvernement mondial dont l'instance bienveillante sera l'O.N.U.

Ils font partie des êtres les plus riches du monde et contrôlent les médias sans jamais y apparaître. Leur réussite réside dans l'ignorance qu'ils entretiennent chez les hommes.

Dans l'une de ses conférences, le Dr Guilaine Lanctôt donne un exemple des plus évocateurs : à Haïti le vote populaire désigne Aristide comme gouverneur. Pendant huit mois, celui-ci est au pouvoir puis la junte militaire le renverse ; mais qui finance ces militaires ? : les financiers mondiaux ! Le coup d'Etat crée la terreur dans la population qui attend des sauveteurs. Ce sauveteur sera l'armée américaine et, à la télévision, on annoncera sans sourciller : "invasion pacifique"... le terme lui-même est une aberration mais personne ne le relèvera. L'armée américaine laisse sur place l'armée personnelle des financiers mondiaux : l'O.N.U. Le monde entier est soulagé et les haïtiens remercient !

Un autre fait mérite d'attirer notre attention : Que penser de nos gouvernements qui peu à peu refusent tout ce qui favorise l'expression personnelle, notamment l'identité ethnique... Pour ne citer en France que la Corse et la Bretagne qui, en dehors de faits plus politiques, souhaitent préserver une culture riche et qui leur est propre.

Dans cet ordre d'idée, pourquoi incite-t-on à mettre les enfants de plus en plus tôt à l'école ? Pourquoi les retirer aux parents dès leur plus jeune âge et les former d'une certaine façon ? Dans un pays du Moyen-Orient, nous avons assisté à de curieuses scènes où les enfants très petits, en rangs serrés, répétaient avec enthousiasme des phrases qu'ils ne comprenaient pas encore mais qui s'inscrivaient en eux pour longtemps... Certains documentaires émettent l'idée qu'il s'agit là de deux des moyens utilisés par les hommes du "gouvernement secret" pour réduire peu à peu notre autonomie. Je les soumets à votre réflexion !

Deux expériences vécues lors de voyages, l'une en Syrie, l'autre au Zaïre ont été pour moi révélatrices et je souhaite vous les faire partager ici. Il y a quelques années, nous étions avec Daniel en Syrie pour une quinzaine de jours. A l'époque notre visa ne pouvait être plus long. Nous vivions ce qui allait nous permettre d'écrire "**Par l'Esprit du Soleil**" et étions tous deux très attentifs à ce qui se déroulait autour de nous. Nous mangions ce soir-là dans le restaurant d'une petite ville et une vieille femme s'approcha de nous pour réclamer quelques sous. Habitués aux pays pauvres nous n'étions pas étonnés... mais les serveurs la chassèrent aussitôt. Ils s'excusèrent auprès de nous et cela nous sembla tout à fait inhabituel. Puis ils nous expliquèrent qu'en Syrie, "il n'y avait pas de mendiants... parce qu'ils étaient tous dans des centres !"

Cette année nous étions les invités d'un congrès de spiritualité se déroulant au Zaïre, à Kinshasa. Après les journées de conférences, les conférenciers furent invités dans une réserve proche du Rwanda. Nous ignorions à ce moment-là que nous allions avoir à traverser les "camps de réfugiés". Nous étions accompagnés par des amis Zaïrois très au fait des évènements politiques car autrefois placés à des postes clés du pays. La traversée des camps de réfugiés fut éprouvante pour tous. Voir une population aussi nombreuse ou presque que celle de Paris, dormant dans des conditions épouvantables sous des bâches plastiques ne pouvait nous laisser en paix. Les camps étaient gardés par des militaires armés de façon impressionnante. Les Hutus réfugiés là avaient beaucoup tués et pouvaient s'avérer dangereux... mais le coup de grâce nous fut donné lorsque nous apprîmes que les problèmes du Rwanda avaient été prévus six mois avant qu'ils ne se déclenchassent et sans doute il y a beaucoup plus longtemps. Par un curieux "hasard" un article à ce sujet parut peu de temps après.

Dans les ouvrages intitulés "**les Messagers de l'Aube**" et "**les Sociétés Secrètes**" vous trouverez une documentation tout à fait étonnante au sujet de ces manipulations diverses.

Nous ne pouvons nier les nombreuses causes qui ont permis l'installation et le développement du gouvernement mondial mais il en est une si proche de nous que nous ne la percevons plus.

Tout ce dont vous entendrez parler dans cet ouvrage existe, se perpétue et s'amplifie par et pour la seule raison du "Moi-je", ce "Moi-je" qui veut la guerre en l'homme, qui a soif de montrer qu'il existe et qui veut proclamer qu'il est le premier de tous. Ce "Moi-je" dévoreur de chair et d'âme, le grand complicateur, le chercheur de prétextes, d'excuses, d'arguments, celui qui nous pousse à être vénéré, admiré, respecté, obéi pour gonfler les muscles de l'ego, de notre ego.

Abraham Lincoln a dit en substance : « *Vous pouvez tromper quelques personnes tout le temps et tromper tout le monde quelque temps, mais, vous ne pouvez tromper tout le monde tout le temps.* » A plus forte raison, nous ne pouvons nous tromper "nous-mêmes" tout le temps.

Lorsque nous achetons le dernier gadget à la mode, la dernière télé, chaîne hi-fi ou voiture, lorsque nous agrandissons notre maison indéfiniment, lorsque nous recherchons des terrains de plus en plus vastes, lorsque nous voulons montrer que nous soignons mieux, que nous vivons mieux que notre voisin, nous ressemblons à tous ces conquérants, à tous ces dictateurs qui s'approprient tel pays, tel territoire et dont nous réprouvons les actes.

En nous travaille alors le "mental intellect", celui qui "pinaille", "veut réussir", "complique tout". Celui qui fait de nous un être intelligent de notre époque mais si peu intelligent sur une octave plus vaste. Pourtant, si pour nous tous ici, Paix et Sérénité ne sont pas de vains mots, en nous dépouillant du "mental-intellect", nous toucherons la robe du "mental-lumière" et nous nous poserons alors cette question primordiale :

"Qu'est-ce qui est essentiel ?"

En répondant à cette question, nous répondrons à l'une des causes du gouvernement mondial sur Terre et à notre volonté de ne plus lui tendre la main.

Les êtres qui composent ce gouvernement possèdent depuis l'aube des temps des moyens d'action hors du commun. En voici un aperçu succinct avant de les développer, documents à l'appui :

– La mafia : répandue de par le monde, elle tient pour ce gouvernement les domaines de la drogue, du jeu et du sexe.

– Les finances de la Banque Mondiale : C'est elle qui décide de la fluctuation des cours de toutes les monnaies, des variations boursières et des différents moyens de contrôle de l'économie mondiale.

– Les laboratoires de recherches : avec des chercheurs de pointe qui n'appartiennent à aucun gouvernement particulier et dont nous sommes très loin d'imaginer les découvertes et la technologie.

– L'Opus Déi, parfois appelé "Octopus Déi": communément baptisée "la mafia du Vatican". C'est elle qui signe des décrets déstabilisateurs. La banque du Vatican paraît d'après diverses sources entretenir de nombreux liens avec la mafia.

– La peur : le gouvernement mondial s'en sert pour se jouer de nous et pour assouvir sa soif de pouvoir.

– Le mutisme face à la vie extra-terrestre : évite que les esprits ne s'ouvrent à d'autres dimensions et à une compréhension plus vaste qui entraînerait une libération et une autonomie de pensée et d'action.

Certes, les moyens sont nombreux et efficaces, pourtant, sans notre accord, sans notre paresse et notre incapacité à voir loin, ce gouvernement est inopérant. Nous aussi, nous avons des moyens et même des solutions pour que l'inévitable en apparence, devienne évitable en réalité.

Ces moyens d'action tiennent en peu de mots mais ces mots sont révélateurs et porteurs d'une force sans nom :

• Notre pouvoir d'achat
• Notre connaissance des faits
• Le dépassement de nos peurs et notre sens des responsabilités
• Notre volonté de ne pas participer à ce qui n'est pas voulu par nous
• Le pouvoir de décider, de choisir

et finalement

• Notre Amour qui est la clé de tout lorsqu'il se décline sur le mode du A majeur.

Dans les chapitres qui suivent nous aborderons plus en détail ces points multiples qui sont les vecteurs susceptibles de nous rendre peu à peu la maîtrise de nous-mêmes, nous les insoumis de l'Amour. Mais les "Pourquoi" restent entiers. Pourquoi cette ingérence du gouvernement mondial lui-même téléguidé de plus haut ou de plus loin ? (le terme paraît plus juste). Quels sont ses buts visibles ou invisibles ? Pourquoi veut-il créer la peur et la division ? Pourquoi veut-il réduire la population terrestre à une race d'esclaves sur laquelle il est facile de régner au profit d'une race de "seigneurs" ?

– 2 –

"La Mafia"

« Si tu n'as pas connu l'ombre véritable,
tu ne sauras jamais à quoi ressemble l'ardeur du Soleil. »

L'un des organes clés du gouvernement mondial est : La Mafia.
La Mafia agit dans les domaines suivants :

- NARCOTIQUES
- KIDNAPPING
- VOLS
- EXTORSIONS
- MEURTRES
- JEUX
- PROSTITUTION

La Mafia prend sa place à New-York, Chicago et Baltimore en 1929. Al Capone protégé par le maire de Chicago Big Bill Thomson soude le lien entre le pouvoir politique et le pouvoir criminel.

Peu après, l'Italie se trouve dans une phase économique des plus critiques. Règnent alors sur le pays : la famine, la misère, l'anarchie.

Le marché noir va se développer comme dans tant d'autres pays mais la Mafia en profite pour mettre la main sur tout ce qui rapporte. Les maires des villages sont pour la plupart des "mafiosi".

Devant tant de misère l'idéal communiste se développe mais la démocratie chrétienne prend peur et n'hésite pas à se faire soutenir par la Mafia et les services secrets Américains.

En 1950 la démocratie chrétienne triomphe grâce au soutien des mafiosi. Andreotti, qui sera par la suite sept fois Premier ministre, deviendra un des hommes-clés de la Mafia pendant plus de 50 ans.

En 1958 Vitto Génovèse, dans l'ombre des services secrets américains, réorganise le "marché noir".

En 1959 John Kennedy entre en campagne. A cette époque, en Virginie, le syndicat des mineurs est tenu par la Mafia dont les votes sont indispensables pour les élections du futur président. Giancana "le mafioso" qui préside à ce syndicat propose son aide à Kennedy contre "autre chose". Kennedy obtient alors le nombre nécessaire de voix.

En 1962 Andreotti devient ministre de la défense

Le juge Falcone, prénommé le juge anti-Mafia a 24 ans et son diplôme de magistrat.

En 1969 le Prince Borghèse cherche le concours de la Mafia. Il est alors à la tête de la loge P2 (franc-maçonnerie) et propose son aide aux services secrets américains et à l'OTAN.

En 1970, à Palerme, la Mafia devient maître du marché mondial de l'héroïne. Le colonel Dalla Chiesa lutte contre elle. Il est assassiné huit ans plus tard, seul et sans protection. Le gouvernement avait pour ordre de "laisser tomber" cet homme trop dangereux et trop curieux !

Falcone décide alors de travailler avec le FBI qui possède des moyens suffisamment sophistiqués pour filmer une grande partie des agissements mafiosi. Les documents du FBI sont paraît-il étonnants !

En Colombie, Pablo Escobar détient cinq laboratoires de cocaïne qui fournissent les deux tiers du marché américain.

A "Atlantic City" la Mafia s'occupe des jeux, le casino de cette ville de Virginie est donc entre ses mains. Tout le personnel de ce casino, du balayeur au directeur, fort nombreux par ailleurs, est inscrit d'office au syndic de la Mafia et porte le n°54, leur chiffre symbole accroché à leurs vêtements.

En Sicile, le peuple réagit. Depuis 78, les morts par règlements de comptes se succèdent et endeuillent toutes les familles sans exception de près ou de loin : en cinq ans, on compte plus de 2 000 morts.

Le Vatican de son côté participe activement aux agissements de la Mafia. Mgr Sindona est à la fois banquier du Vatican et… de la Mafia. Un avocat enquête sur sa banque. Il est retrouvé assassiné. Sindona est jugé pour homicide volontaire. La Mafia n'a plus besoin de lui. Elle le condamne à Mort et le juge à la prison à Vie.

Mgr Marcinkus lui succède. Il est Américain, de Chicago et d'origine Lithuanienne. Il est nommé garde du corps du pape et président de la banque du St Esprit (la banque pontificale)

A cette époque la Mafia est tellement étendue qu'elle recouvre le territoire Américain. Elle détient le réseau des radios et fait de cette façon passer à longueur de journée des musiques payées. Le chanteur Frank Sinatra a, en quelque sorte, été lié à eux de cette façon.

En 1986 le juge Falcone réussit un coup de filet grandiose, grâce à un mafioso : Thomaso Bucchetta. Mis en exil par la Mafia et écœuré de l'assassinat de toute sa famille il fait arrêter plus de quatre cents mafieux. Un tribunal spécial est construit pour le procès. Les mafieux comptent alors, pour les sortir de ce mauvais pas, sur la complicité d'un juge vendu et proche d'Andreotti. Lors d'une interview, Margaret Tatcher n'hésite pas à proclamer que le plus gros des aides Européennes sert à financer la Mafia et l'Ira. Cette accusation lui valut-elle en partie son titre et son poste ?

Voilà donc un bref résumé des activités de la Mafia. Bref mais éloquent quand on sait que les mafieux ont parfois le langage de l'amour. Pour exemple, Jo Colombo, tueur à gages de la Mafia (ce qui signifie des centaines de meurtres à son actif) parle, dans un discours public, de la ligue Italo-américaine "pour aider les petites gens et faire une échelle vers le paradis…"

J'aimerais pourtant vous faire part d'un fait qui m'a personnellement marquée. Lors d'un excellent reportage sur la Mafia réalisé par la chaîne de télévision Arte et où tout paraissait désespérément sombre, une interview du juge Falcone éclaira d'un rayon lumineux cette zone d'ombre. La journaliste lui demandait s'il avait peur et sa réponse fut la suivante :

« Le lâche meurt plusieurs fois par jour, le courageux, une seule. L'important n'est pas de savoir si l'on a peur ou pas, c'est de savoir vivre avec sa peur, ne pas la laisser vous dominer, c'est cela le courage sinon, c'est de l'inconscience…

…Je pense que certaines choses demandent un certain type d'engagement et certaines un engagement maximal. C'est celui-là que j'ai choisi. »

Peu de temps après l'interview, à Palerme, une bombe avait raison du juge Falcone et de sa femme. Nous y sommes passés une semaine après en conférence... le trou y était encore. Quant à son successeur, il disait qu'en tenant le juge Falcone dans ses bras au moment de son dernier soupir, il savait déjà par un mafioso repenti que la bombe qui lui était destinée était arrivée à Palerme. Quelques semaines plus tard il explosait avec ses gardes du corps.

Si je parle ici de ces personnages hors du commun que sont le juge Falcone ou le général Dalla Chiesa, c'est parce que grâce à leur courage, à leur façon de penser et d'être, tout peut espérer changer. La prise de conscience qu'ils font, d'autres la feront aussi. Je ne veux pas dire par là que seuls les êtres qui acceptent d'être en "première ligne" font avancer les choses. Chacun à sa place peut en faire autant, qu'il soit connu ou non n'a aucune importance ! Cependant les actes et les pensées de certains individus permettent une prise de conscience collective... et donnent alors la volonté et le courage d'agir à son tour à quelque niveau que ce soit et selon les moyens à notre disposition.

Je me souviens que lorsque j'étais étudiante dans le nord de la France, un ami rêvait de devenir écrivain mais il pensait que pour cela il lui fallait certains moyens. Il attendit de pouvoir s'acheter un très beau stylo Mont Blanc puis d'avoir un endroit calme pour écrire puis de se marier à une femme qui pouvait s'occuper de lui. En fait, réunir ces moyens lui demanda tellement d'années que pendant ce temps, avec un stylo ordinaire et sur une table de cuisine dans une chambre d'étudiant nous avions déjà écrit deux livres !

Lors de l'enterrement du juge Falcone, nous pouvions suivre sur les écrans de télévision une foule italienne qui remplie de colère et de tristesse, avait pris le parti de ne plus "laisser faire". Son premier acte fut d'ailleurs de chasser de la cérémonie de funérailles tous les "officiels" qui voulaient afficher un masque de tristesse hypocrite.

Il est évident que seuls quelques hommes courageux ne peuvent suffire... mais il existe des lois sur les plans subtils et l'une d'elles est celle-ci :

Lorsqu'un être fait un pas en avant il entraîne avec lui une partie de l'humanité dans cette avance, lorsqu'il baisse les bras, il retarde cette avance pour un grand nombre d'êtres. C'est une loi comme celle du karma, une loi de cause à effet qu'il n'est pas besoin d'aimer ou non pour qu'elle puisse exister. Une loi que l'on pourrait rapprocher de celle des champs morphogénétiques : à ce propos, des chercheurs nourrissaient une tribu de singes sur une île dans le but d'étudier leur comportement. Pour cela, ils jetaient régulièrement d'un avion des pommes de terre. Au bout de quelque temps, ils constatèrent qu'une femelle lavait la pomme de terre avant de la donner à son petit, puis ils s'aperçurent que peu à peu les autres femelles faisaient de même. Ils pensèrent à un phénomène d'imitation... mais ce qui les étonna le plus, ce fut le fait suivant : sur d'autres archipels suffisamment éloignés pour qu'aucune communication ne soit possible, les guenons firent toutes la même chose. Après une étude attentive et longue, les chercheurs finirent par déduire ceci : à partir d'un certain nombre d'individus (moins de la moitié), une découverte quelle qu'elle soit finit par toucher une ethnie, un groupe, un pays, une planète sans qu'il soit besoin que chacun fasse le même itinéraire. Cette découverte d'une importance extrême nous permet de mieux comprendre comment notre avance, aussi minime soit-elle, peut contribuer à l'avance générale.

J'aimerais à cet endroit vous raconter ce qui nous est arrivé lors d'une série de conférences en Italie du Sud. Nous nous rendions ce jour-là à Bari, une ville face à Naples, pour y donner une conférence. Un superbe hôtel nous attendait et son propriétaire mettait gratuitement une salle à la disposition des organisateurs. Comme souvent à cette époque, nous prenions le repas du soir avec nos hôtes en compagnie de notre traductrice et amie. En devisant de choses et d'autres nous en sommes venus à demander au propriétaire de l'hôtel si les affaires marchaient bien. Ce à quoi nous eûmes cette réponse : *« Cet hôtel rapporte beaucoup mais... pas pour moi ! »*

Le lendemain nous étions à Palerme pour les mêmes raisons et là nous fûmes étonnés de ne pas voir nos ouvrages dans la salle de conférence. Il faut dire que nos conférences sont gratuites mais les organisateurs prévoient nos frais de route et d'hébergement. Bien souvent la vente de nos livres leur permet de faire rentrer de l'argent pour le fonctionnement de leurs associations. Cette fois donc, pas de livres. Devant notre étonnement ils nous expliquèrent les faits suivants : *« A Palerme, il est préférable que rien ne rapporte officiellement et si des personnes veulent acheter des ouvrages, elles viendront nous voir dans quelques jours à ce sujet. »*

Lors d'une émission télévisée dans les années 85 et, bien sûr, tard dans la soirée, passa un reportage dans lequel différents marchands d'armes étaient interwievés. L'un d'eux affirma, à l'étonnement de tous, qu'il connaissait dix ans à l'avance les futurs lieux de conflits sur la planète, ce qui lui permettait de fournir les armes en conséquences. Ce "prévisionnel" m'a laissée plus que perplexe et je livre ces divers éléments à votre réflexion !

Mais l'impact de la Mafia s'étend-il au-delà du pouvoir et de l'argent ? Le plan du "Gouvernement unique" est vaste et simple à la fois et cette énorme pieuvre possède de nombreuses ramifications. Au bas de l'échelle se trouvent les revendeurs de drogue, drogués eux-mêmes ou âpres aux gains rapides, les tenanciers des maisons de sexe en tous genres, amateurs de luxure et d'argent et les propriétaires des maisons de jeu.

Plus haut sont les dirigeants mafieux qui cherchent pouvoir et argent, soutenus par les autorités en place ou les "puissants". Ceux-là mêmes, qui reçoivent conseils et ordres de l'élite intellectuelle ou financière. Alors, pour qui ou pour quoi une telle organisation ?

Il est facile d'attacher un pays en droguant ses jeunes et en les rendant manipulables à merci. Il est simple d'attacher des êtres par le jeu et le sexe. Ces êtres devenus d'une façon ou d'une autre plus fragiles sont ainsi plus sensibles aux injonctions psychiques (nous en reparlerons plus loin), aux manipulations, aux croyances dangereuses, à l'attrait de l'argent nécessaire à satisfaire tous ces besoins. Nous voici devant une armée d'esclaves potentiels à la portée du gouvernement mondial ! Le tout largement soutenu par la peur que fait régner la mafia sur le monde à travers les menaces et les assassinats perpétrés continuellement.

L'essentiel des radios est inféodé à la Mafia notamment aux USA et en Italie. Là encore, le plan est subtil car il est simple aujourd'hui d'induire des messages subliminaux que seul le cerveau saura décoder à travers des musiques et des rythmes qui touchent notre être dans ce qu'il a de plus profond. Imaginez la teneur de ces messages ! Il est aussi connu que les rythmes à deux temps fréquemment employés dans les musiques actuelles créent un déséquilibre propice à la montée de l'agressivité.

La musique va ainsi parler et œuvrer selon sa qualité sur les 1er, 2ème, 3ème ou 4ème plexus et amener une âme aux sentiments les plus élevés ou les plus pervers. Les musiques militaires propices à envoyer les troupes à l'ennemi en sont un bon exemple et leur rythme est à deux temps.

Ce moyen rapide, universel, à base de sons capables de structurer ou de déstructurer nos corps subtils est un jeu entre les mains d'êtres qui détiennent le pouvoir occulte. Ainsi, ils peuvent faire basculer un univers par la seule puissance du son puisque l'on sait qu'une seule note est capable de briser un cristal, ce qui donne à l'invisible, à l'impalpable, un impact sur la matière. Mais, là encore, se revêtir du vêtement de la peur n'est d'aucune utilité et j'entends déjà : *« Qu'allons-nous faire ? Qu'allons-nous écouter? Qu'allons-nous acheter ?... »*

Je ne répondrai pas à une telle question car la réponse est individuelle Ce dont je suis sûre, c'est que tout cela ne peut nous atteindre si l'on se trouve sur un certain niveau"vibratoire".

Il n'y a pas de musique à proprement parler à exclure mais, lorsque vous sentez en vous faiblesse, tristesse ou colère ...sachez choisir ce que vous écoutez en étant conscient d'une possible induction à un niveau plus subtil.

Tout peut s'écouter, se lire, se voir si notre état intérieur est suffisamment clair et limpide mais qui peut prétendre à cet état, en permanence ?

– 3 –

L'Opus Dei ou Octopus Dei
La mafia du Vatican

« L'ombre est sans doute contagieuse mais n'oubliez pas qu'elle demeure assujettie au Soleil. »

« Il fait encore nuit et nous sommes au cœur d'une place immense. Une place que nous reconnaissons immédiatement. La place St Pierre de Rome, en pleine cité du Vatican.

Enfin les contours d'un bureau se dessinent et nos âmes se retrouvent une nouvelle fois spectatrices d'une sorte de réunion. Ici, l'assemblée est toutefois plus restreinte. Guère plus de sept ou huit hommes. Deux d'entre eux sont visiblement des prélats, un autre porte un simple costume de prêtre en civil, tandis que le reste de la compagnie semble se composer de laïcs. Leur tenue est on ne peu plus classique.

La voix de l'un des trois êtres nous rejoint sans plus attendre. Elle commente :

"Nous tenions à vous présenter un aspect assez particulier du Vatican. Il s'agit d'un aspect que soupçonnent encore très peu de personnes. Nous devrions dire trop peu... car tout mensonge, toute mascarade doit voir un jour sa fin.

En vérité, tout ceci n'est plus une affaire de religion. Tout au moins pour un certain nombre des maîtres du Vatican. Le Catholicisme dans sa version la plus conservatrice, celle qui prend le pas sur les autres aujourd'hui est l'une des pièces maîtresses du gouvernement mondial dont vous avez entrevu une image à Genève.

La présente réunion est une des réunions de l'Opus Dei, une organisation tentaculaire que certains hommes lucides appellent déjà l'Octopus Dei. L'Œuvre, comme on la nomme également, est devenue le véritable gouvernement souterrain de tout le catholicisme. Elle gère des affaires terriblement temporelles de par le monde avec les moyens les plus divers, ainsi que le ferait n'importe quel gouvernement soucieux de voir s'accroître son emprise. Le crime ne représente pas même pour elle un obstacle. Elle est devenue un véritable réseau d'espionnage, une armée secrète qui utilise la foi religieuse comme levier de manipulation.

Saviez-vous, par exemple, que l'Eglise de Rome contribue financièrement, d'une façon habile, à la fabrication de certains armements ? Cela a déjà été avancé publiquement... mais les hommes préfèrent oublier et enterrer ce qui dérange. Chacun de vous agit d'ailleurs de cette façon vis-à-vis de ses propres difficultés. On préfère contourner plutôt que de chercher à regarder paisiblement l'obstacle puis de le démasquer...

...Les hommes que vous voyez ne sont aucunement des monstres au sens moral du terme. Ils ont leur propre conception de ce qui doit être, et ils représentent un Vatican qui est un aspect significatif de la conscience humaine, collective et individuelle.

En effet, une partie de la psyché de l'humanité ne peut s'empêcher d'être une terrible manipulatrice, une éternelle comploteuse. Elle s'interdit l'accès à la transparence, c'est-à-dire au bonheur limpide... la conscience individuelle moyennement continuellement ou presque, elle complote, élabore des plans pour mieux contrôler ce qui est à sa portée...

En vous tous règne un Vatican souterrain..

Sous la salle de réunion que vous voyez ici, existent d'autres salles qui elles-mêmes conduisent à d'autres lieux plus discrets encore et qui contiennent une quantité d'archives. Une véritable bombe pour l'ensemble de la conscience d'une humanité menée par le bout du nez...

Un seul homme dans cette pièce en connaît l'accès. Il sait les raisons politiques d'une quantité de canonisations, les implications mafieuses des hommes d'affaires du Vatican, il sait aussi les mensonges des premiers pères de l'Eglise et la multitude d'assassinats commandités au nom de Dieu.

Et pourtant il dort aussi paisiblement que vous... parce que les uns et les autres vous utilisez les mêmes somnifères...

Vous voyez ce prélat ? Eh bien, c'est un cardinal. La plus grande partie de la hiérarchie catholique ne soupçonne pas la moitié de son influence sur une certaine stabilité mondiale. Cette réunion, qu'il a d'ailleurs organisée, est totalement ignorée de ses pairs et aussi de la majeure partie des dirigeants de l'Opus Dei. S'il parle en ce moment c'est pour donner son approbation définitive à un complot de vaste envergure visant à discréditer le rayonnement de quelques Maîtres de Sagesse actuellement incarnés en Inde principalement, mais aussi dans d'autres contrées de la Terre.

Il donne les dernières autorisations à une attaque en règle contre tous les enseignements qui visent à libérer réellement la conscience. Vous en verrez les effets. C'est sa vision de ce qui est juste. »

Celui qui Vient

"Le discernement absolu n'est jamais acquis pour quiconque" continue le moine au drapé orange.

Et ses mots résonnent encore en moi comme s'ils venaient tout juste de couler en mon âme... des mots clairs et limpides, des mots incontournables. Où sont le Juste et l'injuste, le vrai et le faux, alors que chacun pense voir juste , peut-être en toute bonne foi ? Que dire, que faire devant toutes ces justifications du crime organisé et de la tromperie qui a les allures de la foi ? Que dire sinon que ce qui flétrit l'âme et le cœur ne peut être juste et que c'est au fond de soi, au plus profond, que l'on trouve toujours la Lumière lorsque tout ailleurs semble perdu !

L'Opus Dei n'a rien à voir avec la foi chrétienne même s'il le prétend. Je ne puis faire ici le procès du Christianisme dont Jésus a posé les bases, je démonte comme tant d'autres un organe qui n'a plus rien à voir avec l'Esprit et l'Ame mais qui sous ce prétexte prend des allures de secte tout en ayant l'aval de la religion catholique. L'Opus Dei a depuis longtemps mainmise sur le Vatican.

Une enquête sur les Francs-Maçons du Vatican dans "le Nouvel Observateur" nous apprend ce qui suit : les croisés de cette société la plus riche du monde sont au nombre d'environ quatre-vingt mille, ils sont organisés et suivent les commandements de José Maria Escriva de Balaguer, au nom de Dieu mais de quel Dieu ?

Peut-être celui des croisés, des moines-soldats qui ont déjà tant détruit au nom de la religion. L'Opus Dei est un pouvoir économique qui influence la papauté. Deux mille prêtres sont à sa tête. L'Œuvre reçoit environ trente millions de dollars par mois et gère des biens immobiliers aux quatre coins du globe. José Maria Escriva de Balaguer l'a promis : il est possible de devenir saint tout en vivant dans le monde des affaires à condition de suivre scrupuleusement les commandements qu'il édicte. Un chef de secte ne promettrait pas plus... Son livre "Le Chemin", traduit en trente langues et vendu à des millions d'exemplaires, se veut la bible de tout un monde prêt à tout pour obtenir le ciel.

De Balaguer a en fait été un "channel" des années 20. Il reçoit des messages de Dieu lui-même pour sauver le Vatican et par la même, l'Eglise. Pour cela, il faut une armée d'inconditionnels purs et durs, se fondant dans la masse et s'éparpillant dans tous les milieux. Le 17 mai 92, De Balaguer est canonisé. Pourtant, comme n'importe quelle secte, l'Œuvre demande qu'on lui donne tout quand on veut être l'un de ses membres et si par hasard l'on décide de partir, ce sera sans rien. En fait, lorsque Don Balaguer fonde l'Opus Dei en 1928, il a 26 ans. Traumatisé par les massacres des religieux et religieuses pendant la révolution, il organise l'Opus Dei comme un organe de résistance anti-marxiste. Il recrutera ses adeptes dans les universités en proposant aux étudiants des résidences et des centres culturels où il peut délivrer son message : il est possible d'atteindre la sainteté à travers n'importe quel travail, sous certaines conditions toutefois... Son projet est planétaire et il souhaite s'étendre ainsi à travers le monde entier. Anti-communiste jusqu'à l'extrême, il demande à chaque membre de s'inscrire comme volontaire à la "division bleue" (aux côtés des Allemands, contre l'Union Soviétique). Franco l'a sans doute beaucoup soutenu et une partie de son gouvernement appartenait à l'Œuvre.

Financièrement, l'organisation prétend vivre de dons mais depuis les années 70 des associations, des sociétés de gestion, des résidences, des centres culturels sont créés par l'Œuvre. Les amis de l'O.D. sont connus : C. Bebear, patron d'Axa, M. Albert, patron des AGF, D. Pineau-Valencienne, PDG de Schneider.

Des scandales éclatent en rapport avec la Mafia et la loge P2 : en 93, le banquier italien Roberto Calvi, proche du Vatican, est assassiné, pendu sous un pont londonien. La méthode employée est signée par la loge P2. Un financier du Vénézuela, Alberto Berti, dit alors avoir blanchi pour le compte de la banque du Vatican vingt et un milliards de francs et pour l'Opus Dei à travers l'une de ses sociétés nommée "Inecclésia". Alberto Berti révèle : « Récemment un ex-président d'une banque américaine m'a certifié que l'Opus Dei avait pris une part importante dans les donations apportées à Solidarnosc. Cela explique pourquoi l'Opus Dei exerce un pouvoir grandissant sur les affaires qui touchent le Vatican et notamment au sein des organismes financiers. Les nouveaux dirigeants de l'IOR (Institut des œuvres de religion) sont tous liés à l'Opus Dei... »

L'affaire Mateos, le milliardaire espagnol qui détourne des fonds au profit de l'Opus Dei, lève un autre coin du voile mais qui va réagir... bien peu ! Le sommeil et la peur engourdissent les âmes et les corps, les scandales éclatent les uns après les autres mais rien ne bouge et l'Opus Dei continue imperturbablement son œuvre.

Le milliardaire est arrêté. Fou de colère de ne pas avoir été défendu par ceux qu'il a toujours aidés, il avoue avoir donné douze millions à l'Œuvre. Quand il sort de prison, il espère que tout va être dévoilé mais l'affaire est enterrée... le procureur était membre de l'Opus Dei. Mateos continuera sa route encore riche mais déçu et humilié.

Jean-Paul II a 75 ans, tout le monde sait qu'il est malade, mais qui connaît ses liens avec l'Opus Dei qui, avant son élection, finançait déjà ses voyages, son accueil et son hébergement de par le monde ? Qui sait que le pape se recueille régulièrement sur la tombe de Don Balaguer ? Qui sait que pour remercier les membres de l'organisation, il les a nommés à des postes clés après son élection : consulte des miracles, procédures de béatifications, congrégation qui gouverne les ordres religieux de l'Eglise ?... En bref, qui sait qu'ils sont déjà en place pour nommer le successeur du pape ?

Sans doute vous souvenez-vous de la disparition brutale du pape Jean-Paul Ier après un règne des plus brefs. Certains disent qu'il fut assassiné pour avoir voulu élaguer quelques pesantes branches de l'Opus Dei... Cela nous a aussi été dit lors de nos investigations astrales...

L'Opus Dei est très savamment organisé : L'Œuvre décide de qui sera prêtre ou laïc numéraire, ces derniers devant être célibataires et vivre dans les centres "ad hoc". Les laïcs surnuméraires peuvent être mariés et avoir des enfants, ils seront au service domestique des autres. Les associés sont célibataires et vivent avec leur famille. Les collaborateurs aident par des dons.

L'un des buts de l'œuvre est de débusquer de nouvelles vocations et d'éviter que celles-ci ne s'égarent. Pour cela et comme dans n'importe quelle secte, elle propose aux jeunes de quitter leurs familles et de rejoindre leurs nouveaux amis (voir le dossier).

« Les membres mariés ont le devoir de faire le plus d'enfants possible pour augmenter le nombre de vocations » dit Mgr Alvaro del Portillo, le prélat de l'Opus Dei.

Recrute-t-on des membres avant leur majorité ? *« Nous préférons parler de formation »* dit l'abbé Haddock qui admet que cette formation peut commencer à n'importe quel âge. Les règlements de l'Opus Dei stipulent que des enfants de 14 ans et demi peuvent solliciter leur adhésion officieuse. On a souvent reproché à l'Opus Dei d'inciter des enfants à cacher cette adhésion à leurs parents. *"Quand vous avez une fiancée, vous ne le dites pas tout de suite à vos parents"* expliquent les dirigeants.

L'Opus Dei, troupe de choc du pape, a muselé ou remplacé en Amérique Latine les "théologiens de la libération" qui appelaient à une plus grande justice sociale, par ses propres sympathisants, en particulier au Chili, en Argentine, au Brésil et au Pérou. En tout, treize évêques de l'Opus Dei œuvrent en Amérique latine.

Selon le fondateur, "les femmes n'ont pas besoin d'être savantes, il leur suffit d'être sensées" (chemin 946). Dans les résidences, elles s'occupent de l'administration, de la cuisine, du ménage.

L'abbé Escribano a subjugué son auditoire canadien par ces mots : *« Une morale sans Dieu n'existe pas. La foi ne s'oppose jamais à la raison. La foi c'est la connaissance par la confiance en l'autorité. »* Et encore : *« La pilule est naturelle comme le sont le couteau et la mitraillette. »*

« La Sainte Eglise est comme une grande armée » écrit Don Balaguer « nous, nous n'échouons jamais ». Les catholiques qui ne combattent pas sont des soumis et des déchus !

(Une partie des documents ci-dessus se réfèrent au journal québecois "l'Actualité" du 1er Avril 1993).

– 4 –

La Santé :

ou comment soumettre la population mondiale par le biais de thérapeutes de bonne volonté.

Depuis des années d'investigation régulière dans les plans subtils, nous avons assisté à des scènes plus curieuses les unes que les autres... des scènes se passant dans des laboratoires en Alaska où aboutissent les découvertes les plus folles, où sont déversés des crédits très importants aux chercheurs les mieux payés œuvrant pour des responsables sans noms et sans gouvernement officiel. Voici donc l'extrait de "**Par l'esprit du Soleil**" où il est question de ce type même de recherches :

« Les yeux de notre âme sont maintenant suspendus quelque part au cœur d'une étendue de neige et de glace. Aux trois quarts enfouis dans la neige, nous apercevons maintenant de grands bâtiments aux toits plats. Devant les énormes blocs de glace qui se sont formés alentour, trois ou quatre véhicules, attendent, rangés dans un ordre rigoureux. Autres signes de présence humaine, trois antennes paraboliques de tailles différentes tournent lentement sur des plates-formes. Elles évoquent les radars de quelque base militaire mais aucun drapeau ne flotte nulle part, aucune couleur, aucun indice pour suggérer la moindre mission scientifique. Tout est invariablement blanc, blanc et glacé sous ce qui prend par endroit des allures de plomb.

Sans en comprendre la raison, mais avec une insistance pesante, la forme succincte et sombre d'une main est apparue par intermittence sur l'écran de notre âme. C'est une main malhabile ou du moins schématique... Il y a en elle nous ne savons quoi de pas tout à fait humain ou peut-être de robotique qui finit par créer une insoutenable sensation de nausée. Maintenant, il nous faut respirer vraiment... Quelle nécessité nous a donc attirés ici ?... nous le demandons !

...la nécessité de ne pas ignorer les silhouettes de l'ombre que la masse des hommes laisse croître chaque jour un peu plus sur la planète. »

J'ai appris depuis ce jour, par les êtres qui nous guident, que les recherches sont bien plus avancées que nous ne pourrions le supposer. Mais, laboratoires et savants ne sont pas qu'en Alaska et pour illustrer ce propos, je voudrais vous parler d'un fait bien physique qui nous est advenu il y a quelques années.

Une fin d'après-midi, le soleil s'étirant langoureusement dans un ciel automnal, le téléphone se mit à sonner. Une voix chaleureuse et au fort accent américain résonna à nos oreilles. C'était celle d'un chercheur spécialisé dans la chirurgie du cerveau. Il s'intéressait à nous parce qu'il avait entendu parler de nos capacités en lecture d'aura et aurait aimé approfondir ce domaine en notre compagnie et celle d'autres chercheurs de son groupe...

Perplexes, nous laissâmes passer quelques jours, ne sachant réellement que répondre et restant interrogatifs sur la portée de cette possible "aventure". Les jours passèrent sans qu'au fond de nous ne germe le moindre embryon de réponse. Depuis des années, avec les êtres qui nous guident, j'essaie d'apprendre la patience mais cela n'a jamais été ma qualité première. Nous attendîmes cependant... c'est alors qu'un autre après midi, une française demeurant aux USA nous téléphona. Elle demanda à nous parler, se présenta comme la compagne du chercheur et sa mise en garde fut claire :

« J'ai appris par mon mari sa requête envers vous, disait-elle en substance, c'est un bon père, un bon ami et un compagnon agréable mais... c'est aussi un être amoral. Comme beaucoup de chercheurs de son groupe, il cherche pour le plaisir, la joie même de la recherche et il se soucie peu des conséquences de ses découvertes. Il est génial au sens propre du terme et peut mettre au point, en griffonnant sur la table d'un restaurant des découvertes hors du commun. Il a ainsi créé beaucoup de prototypes d'armes pour la guerre au Moyen Orient sans se culpabiliser devant l'emploi de ses découvertes. Mais, ne venez pas, car vos recherches seraient employées pour des expérimentations dont l'unique but serait d'asservir l'homme. »

Elle ajouta aussi que ces êtres surdoués pouvaient se transformer complètement et mettre leur savoir au service de l'Amour mais que cela impliquait une prise de conscience brutale et totale, qui par la suite ne leur permettait plus de rester dans le groupe initial. Quant à nous, nous avions notre réponse.

Actuellement la science est en possession de données pour changer les climats, désertifier des régions entières, créer des famines, donc des révoltes et par là même permettre des prises de pouvoir. Elle peut attacher des corps astraux sur des machines et ainsi créer comme à l'époque de l'Atlantide des robots semi-humains d'une grande performance. Elle sait induire à travers des channels, des paroles qui paraîtront venir du canal lui-même, elle crée des images dans des cerveaux choisis et fait prendre la fiction pour la réalité. Par des recherches sur les mutations transgénétiques, elle enlève les barrières qui rendaient intransmissibles les maladies de l'animal à l'homme. Elle est passée maître en guerre bactériologique et les virus ont peu de secrets pour elle. Elle invente des épidémies, expérimente de nouvelles maladies dans des pays d'Afrique, là où certains gouvernants plus soucieux de leurs pouvoirs et de leur fortune que de leur peuple, exploitent ce dernier en le vendant comme champ d'expérience.

Je ne peux résister à la tentation de vous citer ce passage de "**Celui qui vient**" lorsque nous assistions à une scène éloquente tenue par certains membres du gouvernement mondial :

« Voyez cet homme... Eh bien, il s'agit d'un représentant de l'Organisation Mondiale de la Santé. Un homme influent. Il a son mot à dire sur toutes les recherches médicales effectuées à la surface de votre planète, de l'industrie pharmaceutique à la génétique en passant par la chirurgie du cerveau et les vaccins. Pour lui et pour tous ceux qui l'ont aidé à obtenir cette place, la santé représente une arme, un moyen de contrôle des gouvernements, des comportements individuels et aussi de masse. Une arme qui fonctionne avec le levier de la peur et qui génère de surcroît des fortunes colossales.

Les dossiers qu'il fait circuler concernent un plan d'action visant à expérimenter de nouveaux virus dans certaines parties du monde, notamment en Afrique noire. Mais bien d'autres pays et continents sont aussi concernés. Pour l'instant, c'est très précisément un grand Etat au centre de l'Afrique qui l'intéresse. Son gouvernant est prêt à toutes les compromissions et à toutes les utilisations de son peuple pour garder le pouvoir. Il y a une sorte de pacte entre lui et l'Organisation dont vous avez devant vous quelques membres.... Comme vous le voyez il est parvenu, quant à lui, à se positionner très précisément. Il sait ce qu'il sert, même s'il ne soupçonne pas l'ampleur et les implications de sa servitude.

Votre faiblesse se base pour une bonne part sur les hésitations. La détermination est encore ce qui manque à la majorité de ceux qui disent avoir fait le choix de la Lumière. Un choix partiel n'est pas un choix, reconnaissez-le ! »

Pourquoi tout cela, vous demanderez-vous à juste titre ? Parce que les 300 familles qui veulent tenir le monde recherchent des races soumises, des peuples esclaves où la marginalité ne trouvera aucune justification et deviendra peu à peu une anomalie. Ainsi naîtra la race unique et dominatrice qui aura toutes les décisions en main.

Pour dominer encore et toujours plus efficacement, les vaccins deviennent eux aussi d'ingénieux instruments . Certains, qui seraient parait-il codés, permettraient d'isoler une ethnie, un groupe d'individus, une race qu'il serait, par la suite, facile d'éradiquer de la surface de la terre. Un type de virus contaminerait uniquement un groupe déterminé de personnes. N'est-ce pas à la fois déroutant et malgré tout très impressionnant ?

Ceci reste bien sûr à démontrer, mais les dossiers qui suivent vous donneront quelques éclaircissements sur le sujet et surtout, ne baissons pas les bras, ne nous laissons pas gagner par le découragement car des solutions multiples sont à notre portée et nous les envisagerons à la fin de ce livre.

Dans les documents que je mets à votre disposition, certains peuvent vous paraître anciens mais sont toujours vérifiables. D'autre part, cette documentation sur la santé et les vaccinations ne cherche en aucun cas à discréditer des thérapeutes, des médecins, des soignants de bonne foi qui vaccinent sans vouloir faire le jeu de qui que ce soit mais parce qu'ils sont convaincus par le bien-fondé de cette action.

Je ne cherche pas à prouver qui a tort ou raison, il ne s'agit pas de polémique et loin de moi la pensée que la médecine actuelle ne vaut rien. Elle est capable de sauver bien des vies et de prolonger les années de vie en en préservant la qualité. Cependant, nous ne pouvons fermer les yeux devant ce qui devient aussi, et c'est l'envers de la médaille, une industrie florissante qui engraisse des laboratoires et des thérapeutes peu soucieux du bien-être de leurs malades. Il est par exemple étonnant de voir des laboratoires tel l'institut Mérieux avoir des accointances avec des sociétés de gestion, et de constater que certaines campagnes de vaccinations sont mises en route parce que des vaccins sont sur le point de se périmer... Vous verrez tout cela dans la documentation concernant ce chapitre !

Sur ARTE une émission sur la santé est passée ce 20 août 1996. L'hôpital y était présenté comme une entreprise moderne, une hôtellerie avec les avantages que cela comporte pour tous. Un peu plus loin dans l'émission, il y fut question de la "health card". Une carte de santé où le médecin peut tout savoir sur son patient au niveau médical mais aussi sur d'autres plans beaucoup plus personnels (voir dossier).

Une expérience d'hôpital en Allemagne y était présentée : une clinique chino-allemande permettait à des médecins de deux civilisations très différentes d'exercer leur art. Les Chinois proposaient à leurs patients une thérapie sans chimie à base de respirations, mouvements, massages, acupuncture. Ils demandaient en outre que leur "malade" ait un rôle actif dans leur guérison. Le médecin allemand interrogé à ce sujet soulignait que cela demandait une ouverture d'esprit sur l'état général du patient et non sur sa maladie et que cette confrontation de deux façons d'aborder un même problème lui apportait beaucoup.

Cela nous conforte dans le fait qu'il existe des êtres qui par leur discernement et leur volonté d'aimer toujours plus font, quel que soit le domaine, avancer vers plus de lumière et d'efficacité.

– 5 –

Les Recherches

« Il n'y a pas un nuage sur cette Terre qui n'ait sa raison d'être. »

Dans notre ouvrage "**Par l'Esprit du Soleil**", nous avons été amenés à retranscrire les paroles suivantes dans le chapitre intitulé "*Les énergies de l'ombre*". Je vous les livre à nouveau ici car elles concernent spécifiquement le domaine de la recherche abordé largement dans ce chapitre.

« ...Si j'ai tenu à ce qu'un tel lieu soit porté à votre connaissance, c'est parce qu'il rend compte, sans qu'il y ait nécessité de rentrer dans de pénibles détails, de l'implantation concrète de quelques recherches scientifiques menées depuis des décennies par les puissances du non-amour. Les constructions aperçues... font partie d'une vaste chaîne de laboratoires et de centres d'étude répartis sur l'ensemble de votre planète et qui a pour but la domination psychique de la population humaine et le contrôle d'éléments naturels tels les climats. Ces informations ont déjà été fournies à certains d'entre vous, il importe pourtant qu'aujourd'hui elles se voient plus largement diffusées.

De petites îles perdues en plein océan et des bases souterraines ont été secrètement investies dans le seul but d'asservissement des énergies planétaires et humaines ; quelques navires ont été affrétés en ce sens et sillonnent toutes les mers.

Depuis plusieurs années, l'humanité commence, sous mille aspects différents mais convergents, à prendre connaissance du rayonnement des frères de la Lumière, frères de Shambhalla. Cette prise de conscience conforte déjà l'action de quelques dizaines de millions d'hommes et de femmes; cependant, ceux d'entre eux qui se mettent ou veulent se mettre pleinement au service de la force d'Amour ne peuvent continuer à méconnaître l'impact de ce que l'on peut appeler l'anti-Shambhalla...

Elle se base aussi et surtout sur le peu de résistance physique et émotionnelle d'un grand nombre d'êtres en résonance avec ce que l'on pourrait appeler une certaine longueur d'onde. »

Pourquoi les recherches visant à modifier les climats prennent- elles tellement d'importance aux yeux du gouvernement mondial ? Il est facile de comprendre que lors de bouleversements climatiques, l'équilibre économique en pâtit. Les cultures deviennent difficiles, les prix augmentent, les achats diminuent, les producteurs réagissent ainsi que les revendeurs et la crise devient économique, sociale et politique.

A ce moment précis peuvent être proposés des plans de restructuration autoritaires et la mainmise sur une population en déroute s'avère alors des plus simple.

Désertifier une région ou un pays, l'isoler du reste du monde, créer des tremblements de terre, refroidir une zone de la terre, voici autant de pratiques possibles avec la technologie actuelle. Elles ont le mérite de passer le plus souvent inaperçues car déclarées comme phénomènes naturels. Ce qui n'exclut bien sûr aucunement la présence de ces derniers, mais nous permet peut-être d'avoir un "autre regard" sur l'information proposée.

Dans les dossiers de la CIA, une note rendue publique au comité des congrès américain nous apprend l'expérimentation des micro-ondes sur les êtres humains. Les armes à énergie directe couramment utilisées par la CIA sont les suivantes :

"VOICE SYNTHESIS" qui permet l'envoi à distance d'un faisceau "audio" dans le cerveau d'individus sélectionnés. On le trouve aussi sous le nom "télépathie synthétique" ou encore "communication spatiale télépathique électronique" dans le vocabulaire de la Nasa. Ces armes sont fabriquées par la Lockheed-Sanders et par le très connu "Los Alamos National Laboratories". Des informations publiées dans une revue militaire américaine inclineraient à penser que lors du siège tenu par le FBI/BATF contre la secte "branch Davidians" dirigée par David Koresh à Waco, (Texas) on aurait utilisé de telles armes pour faire croire à ce dernier que Dieu lui parlait...

Un autre appareil à pulsation de micro-ondes peut transmettre des signaux audibles uniquement par la personne choisie. Cet appareil peut être construit avec un banal fusil radar. Le faisceau de micro-ondes peut être modulé à des fréquences audio et transmettre des voix directement au cerveau. Le Dr J.C. Sharp suivit des tests lors d'expériences en 1973 à l'institut de recherches militaires Walter Reed. Il pouvait comprendre des paroles transmises dans une chambre d'isolation sans écho via un audiogramme pulsé en micro-ondes dirigé vers son cerveau.

Robert Becker auteur de "the body electric" et candidat au prix Nobel, déclare :

« De tels appareils peuvent évidemment être utilisés... pour rendre une cible folle avec des voix ou faire parvenir des informations indécelables à un assassin programmé. »

La CIA étudie en profondeur les effets des rayons électromagnétiques concentrés à ultra haute fréquence pour provoquer "agitation" ou "faiblesse" ainsi que les effets des micro-ondes pour augmenter les effets des drogues, des bactéries, des poisons ou affecter le fonctionnement du cerveau.

LE CLIPPER CLAPSTONE est également une trouvaille de taille. Construit à l'aide de deux micro-processeurs, il est manufacturé par une importante agence américaine d'espionnage. Ce système utilise un "Algorythme secret" nommé "Skipjack" qui permet d'encoder ou de décoder toute conversation téléphonique de même que toute donnée informatique. Le gouvernement américain souhaiterait implanter ces micro-chips en tant que norme officielle dans toute l'industrie des traitements de données informatiques indépendamment de la volonté et du consentement du public. De cette manière, les ordinateurs, les téléphones et télécopieurs seraient équipés de ces deux puces-espions.

LA TECHNOLOGIE A DOUBLE TRANCHANT : Nouvelles en vrac

Dans la publicité d'un fabriquant de jouets, un clown demandait aux enfants de placer le téléphone devant la télévision. Le studio émettait alors un signal sonore qui mettait immédiatement l'enfant en ligne avec un numéro vert. Celui-ci possédait un service pour identifier automatiquement le numéro du correspondant et enregistrait le numéro de l'enfant. Le but de cette manœuvre était de créer des fichiers commerciaux.

On utilise de plus en plus de logiciels pour contrôler les branchements téléphoniques. Il devient ainsi facile d'écouter clandestinement les conversations. Au lieu d'avoir accès à un câble pour intercepter une ligne, un individu averti qui utilise un modem pourrait reprogrammer une ligne à distance, de telle façon que les appels réalisés soient simultanément détournés vers une troisième ligne et enregistrés. Il est également possible de saboter une ligne en rendant le numéro d'appel impossible à composer ou en faisant que chaque personne qui le compose entende la sonnerie "occupé". Il peut aussi y avoir des téléphones à" numéro rouge piégé". Un transmetteur à distance relié au téléphone ou inséré dans le répondeur transforme le téléphone en un microphone. L'individu qui compose alors ce numéro (le téléphone ne sonnera pas) peut écouter ce qui se passe dans la pièce. Les casques utilisés par de nombreux employés des services de réservation contiennent de minuscules microphones qui permettent à un supérieur se trouvant à plusieurs étages ou kilomètres de cet endroit de contrôler toute la conversation du bureau.

La majorité des images qui apparaissent sur les écrans d'ordinateurs non protégés peuvent être reproduites par des techniques simples à une distance de deux kilomètres. Il n'est pas besoin pour cela d'avoir accès aux locaux où se trouve l'ordinateur.

Cependant, les TECHNIQUES et TACTIQUES du NOUVEL ORDRE MONDIAL sont contenues essentiellement dans le processus du CONTROLE DE LA PENSEE. Les documents relatifs à ce chapitre sont en partie repris de l'ouvrage du journaliste Serge Monast. Je joins également de cet auteur la conférence intitulée : "Les puces vont bientôt gouverner".

Certains chercheurs pensent que plusieurs individus du domaine de la santé mentale travaillent à l'instauration d'un "nouvel ordre mondial" avec les compagnies pharmaceutiques et les gouvernements.

Pour exemple, le Dr Ewen Caméron conduisit un programme de recherche du contrôle de la pensée (nommé MKULTRA) pour la CIA. Il fut aussi président des associations psychiatriques américaines , canadiennes puis mondiales. Il fut à l'origine des recherches sur le sommeil profond qui, utilisées de 1963 à 1973, causèrent la mort de 20 personnes. Cameron se basait sur les recherches du psychiatre anglais W. Sargant, expert en techniques communistes d'extorsions de confessions.

LA MANIPULATION A TRAVERS LA PSYCHIATRIE a toujours joué un rôle majeur dans la domination de "l'autre". Le Dr West serait, semble-t-il, le coordinateur apparent du programme secret du gouvernement Américain du contrôle de la pensée. Il est aussi président du département de psychologie de la UCLA et directeur de son institut neuro-physiologique. C'est encore lui qui préside aux recherches sur les "lavages de cerveaux" coréens touchant les prisonniers de guerre américains. D'après le document que vous consulterez dans le dossier, il a mené à bien un programme financé par la CIA sur le LSD vers les années 60.

Dans ce chapitre, les bienfaits de la recherche ne sont bien sûr pas à remettre en cause. L'information lui donne une vaste place mais les dérives de cette même recherche sont plus rarement exposées. Ces quelques pages ont donc pour but de les rappeler dans une synthèse soumise à la réflexion du lecteur.

– 6 –

Les Etres de l'espace
ou : un boycott très explicable

« Peu importe ce à quoi vous adhérez, la seule force qui vaille, c'est l'amour que vous allez faire briller dans vos regards. »
Chemins de ce Temps-là

Actuellement, une désinformation sévit sur notre terre. Elle concerne entre autre tout ce qui touche au domaine des êtres vivant sur d'autres planètes. Pourquoi cette loi du silence, pourquoi des centaines de dossiers cachés sur ce sujet, pourquoi un "top-secret" aussi acharné ? Nous ne sommes pas les seuls êtres pensants de l'univers et non plus les seuls êtres "intelligents", loin s'en faut. Nos divers contacts lors de nos sorties hors du corps nous ont amené à côtoyer des êtres de provenances diverses et hors de la planète Terre. Il ne m'est pas encore possible aujourd'hui de décrire avec précision ces contacts. Ces êtres ne le souhaitent pas dans l'immédiat mais je ne désespère pas d'avoir un jour le bonheur d'écrire ce que j'ai, ce que nous avons pu vivre sur ces plans non pas d'après-vie mais d'autre-vie. Car il s'agit bien là d'autres formes de vie possédant une intelligence et une façon d'être que nous pouvons à peine soupçonner.

Pour tous ceux qui ont vu "La guerre des étoiles" je peux vous affirmer que les personnages étranges rencontrés par Luc Skywaker dans un bar de l'espace existent bien et que le physique qui est le leur peut nous paraître aussi difforme que le nôtre à leur égard... Ce n'est qu'une question de regard et dans ce film comme dans le film de "E.T." j'ai pu entendre à la sortie du cinéma des réflexions d'enfants un peu dans ce style :

« Ce n'est pas parce que quelqu'un est différent de nous qu'on ne peut pas l'aimer... » et j'ai aimé !

Avant d'aller plus avant je vais vous citer le passage de "**Celui qui Vient**" concernant ce domaine sensible et tellement sujet à controverse. Il s'agit là d'un passage revécu par nous deux dans les annales akashiques :

« L'un des hommes en civil qui marchent devant vous n'est autre que le Président des Etats-Unis d'Amérique de l'époque, D. Eisenhower, annonce la voix du grand Etre blond. Ce n'est pas la première fois qu'il vient en ces lieux.... Sachez que vous êtes dans les sous-sols d'une base militaire. En fait, il s'agit presque d'une ville souterraine bâtie avec des fonds publics habilement détournés par le gouvernement lui-même.

C'est une base expérimentale, une base de surveillance et d'échanges construite pour les besoins d'une situation qui dépasse l'entendement humain habituel. La rencontre à laquelle vous allez assister est la dixième et la plus importante d'une série qui va avoir de lourdes conséquences pour l'avenir de l'humanité terrestre."

...Face à nous apparaît une grande et belle pièce ou plutôt un bureau offrant tout le modernisme des années cinquante. En son centre, bien plantés, attendent trois hommes, deux militaires et un civil et à leurs côtés... trois Créatures. Devrions nous dire aussi "des hommes" ?

Ces êtres sont de très petite taille, comme des enfants de huit à dix ans. Ils ont le corps entièrement couvert de poils gris et courts... Leurs yeux sont petits et vifs, leur nez presque inexistant et leur bouche excessivement fine.

La voix qui nous accompagne continue en ces termes :

"...Ces êtres ne fonctionnent pas selon les principes de l'actuelle conscience humaine. Ils agissent essentiellement sous l'effet d'une conscience collective qui les pousse à rechercher leur propre profit, leur propre expansion au-delà de ce que vous pourriez appeler un état d'âme.

"Et... pourquoi sont-ils là ?"

..."Ils viennent d'un monde excessivement lointain du vôtre. Plusieurs années-lumière vous en séparent. Cela fait bien longtemps qu'ils observent la Terre, bien longtemps aussi que, de notre propre monde, nous les observons.

Leur peuple souffre d'un grave problème immunitaire, difficulté causée justement par cette extrême sécheresse d'âme que j'évoquais à l'instant...

...A l'heure où s'est déroulée cette réunion, ils affirmaient ne pas vouloir s'établir sur votre planète mais y faire certaines recherches, certaines expériences afin d'enrayer le trouble qui les atteint tous. ..

...Tout cela demeurerait néanmoins banal sans la présence du mensonge sur les lèvres des visiteurs en question. Leur but est bel et bien la mainmise progressive sur votre monde, conçu par eux comme un réservoir inextinguible de la substance qui leur fait défaut et qu'ils prélèvent chez certains animaux."

"Mais, que font-ils ici avec ces militaires et quelques politiciens ?"

"Ils tentent de conclure un pacte. En échange de quelques expérimentations sur des animaux, ils proposent au gouvernement des Etats-Unis un apport scientifique sans précédent. C'est leur façon d'engourdir les réticences."

(Un homme en civil semble parfaitement les connaître).

"Tel que vous le voyez là, il est parfaitement au courant des objectifs à moyen terme des petits êtres."

"Quels sont précisément ces objectifs ?"

"Soutenir la mise en place, sur quelques décennies, d'un Gouvernement Planétaire terrestre donnant le pouvoir absolu à une toute petite élite d'individus qui les laissera agir à leur guise.

Cela passe évidemment par le contrôle complet de toutes les populations, par le biais d'épidémies savamment organisées, de guerres préméditées et de déséquilibres économiques."

"Cela signifie qu'il existe un but à plus long terme, n'est-ce pas ?"

"Effectivement ! Un but qu'ignore la majorité de ceux qui collaborent avec eux et qui constituent le noyau du Gouvernement Planétaire. Ce but, après avoir poussé ce Gouvernement à la mise en place d'une "race unique dominante" est la maîtrise totale de la planète et une "fusion génétique" avec ses derniers habitants... vous êtes appelés à penser "universel" ! Votre terre n'est qu'un cas parmi les millions de mondes habités ! Il faut la sortir de son isolement." »

En relisant ces phrases je me prends à penser et mon être s'envole vers ces autres mondes en lesquels les gens de la terre ont tant de mal à croire. Devant les yeux de mon âme défile alors un souvenir... Je suis en voyage hors de mon corps, loin, très loin de la planète terre. Je suis à l'intérieur d'un vaisseau, d'un vaisseau grand comme une ville, ce qu'on nomme généralement les vaisseaux-mères. D'une immense baie vitrée, je vois le ballet incessant de véhicules de l'espace qui vont et viennent. Je sais qu'ils se rendent d'une planète à l'autre car pratiquement toutes les planètes du système solaire sont en communication, toutes sauf une... La Terre, la planète qui se croit ou se veut seule ou peut-être les deux.

Un ami m'a fait parvenir il y a peu de temps un livre qui n'est plus édité depuis une trentaine d'années. Il s'agit du livre du contacté américain Howard Menger intitulé "**Mes amis les hommes de l'espace**". Cet ouvrage est étonnant par la véracité des dires qu'il contient, dires que nous avions déjà vécus lors de nos sorties hors du corps nous menant vers d'autres univers et nous permettant des contacts du "troisième type".

Un passage a particulièrement attiré mon attention car il m'a paru complètement correspondre à ce que nous avions retransmis à travers "**Celui qui Vient**". Je vous le livre donc ici tel quel en gardant bien en mémoire qu'il fut écrit vers les années 58 .

Il s'agit d'une rencontre entre Howard et un être de l'espace sur un plan tout à fait physique :

« L'homme cessa de parler et ferma les vitres de l'auto, tandis que je me demandais pourquoi. En effet, le temps était très chaud. "Juste pendant une minute" s'excusa-t-il. Je notais que son ton devenait plus confidentiel. "Howard, pour autant que je le sache, on vous a épargné de savoir ce que j'ai à vous dire, mais il est maintenant nécessaire que vous le sachiez. Vous devenez connu et cela pourrait vous arriver."

Je l'écoutais tendu et soucieux. C'était la première fois qu'on me parlait ainsi. L' homme paraissait parler d'un danger qui me menaçait.

"Tous ceux qui travaillent avec nous peuvent être approchés par des faux hommes de l'Espace. Ceux-ci peuvent même vous amener des authentiques spécimens de nourriture conditionnée."

"Qui sont-ils ? Je pensais que je pouvais avoir confiance en vous tous."

"Ce ne sont pas NOUS, Howard. Ce sont des êtres humains différents. Je parlerai d'eux simplement en disant : la conspiration."

Je fus encore plus choqué quand il me parla d'un homme qui connaissait l'activité des êtres humains de l'espace et nous montrerait des spécimens extraterrestres. Il pourrait même nous promettre un voyage jusque sur la Lune mais nous décevrait dans le but de diffamer nos frères de l'espace. Ils me le décrivirent complètement...

..."Bien des gens naïfs seront des aides inconscients de leur conspiration."

J'écoutais incrédule. Si cela était vrai, comment pourrions-nous déterminer qui était notre ami et qui était notre ennemi ?....

...Mon interlocuteur me regarda tristement.

"Mon ami, cette Terre est un champ de bataille où luttent l'esprit et l'âme de chaque être humain. La prière, les bonnes pensées et des précautions sont votre meilleure protection."...

... Ensuite la jeune femme parla :

"Vous ne savez pas, Howard, qu'il y a sur cette planète un très puissant groupe de gens extrêmement savants en technologie, en psychologie et ce qui est le pire de tout en télé-influence. Ils dirigent des gens qui occupent des postes importants dans les gouvernements. Ce groupe est anti- dieu et on pourrait dire qu'il est l'instrument de votre mythique démon."... "Ils manient non seulement les gens de cette planète" continua la jeune femme "mais aussi bien des gens de mars et aussi..." elle regarda son compagnon ; il hocha la tête en signe d'assentiment... "aussi d'autres gens de votre planète, des gens dont vous n'avez jamais entendu parler. Des gens qui jusqu'à maintenant n'ont été ni observés, ni découverts. Une sorte de peuple souterrain.

Ce groupe a infiltré des organisations religieuses pour duper vos populations avec une conception fausse de la vérité qui avait déjà circonvenu votre planète il y a des milliers d'années. Ils se servent de la crédulité et de la foi d'une masse de gens pour atteindre leurs propres fins." »

A l'heure qu'il est, nous avons vécu suffisamment d'expériences depuis 1971 pour pouvoir dire que tout ce qui vient des étoiles n'est pas forcément lumineux et les deux exemples cités nous permettent de mieux en comprendre le sens. La planète Terre est un enjeu vers lequel se dirigent de multiples forces. Toutes sont loin d'être claires mais toutes nous feront peu à peu découvrir nos capacités propres à sonder notre propre cœur pour y découvrir les véritables valeurs avec lesquelles nous voulons cheminer.

Lors de nos contacts avec des êtres d'outre-espace, nous avons su que la terre était sous "protectorat vénusien" depuis 18 millions d'années. Un peu comme de grands frères, les êtres de cette planète sont venus pour nous aider, nous apprendre à marcher et à vivre debout. Actuellement, ils remettent peu à peu la terre dans les mains de ceux qui ont fait un certain chemin mais leurs cartes ne sont pas les mêmes que celles de ceux qui souhaitent faire de cette planète un terrain d'expérimentation à des fins personnelles. Les inductions psychiques dont il est question plus haut sont contraires à leur éthique. C'est ainsi que dans l'un de ses contacts, Howard Menger entend parler d'ondes sonores, lumineuses et de l'usage des couleurs mais l'être qui le contacte précise : *« Ne pensez pas qu'il s'agisse de quelque contrôle artificiel du cerveau humain... nous ne contrôlons pas le cerveau. Un tel comportement ne cadrerait pas avec les lois divines. Au contraire avec des instruments et une technique convenables vous pouvez produire quelque chose de bien plus important : vous pouvez libérer dans le cerveau quelque chose qui s'y trouve à l'état latent. »*

Dans un autre ouvrage, celui de Gary Kinder "**Les années Lumière**" portant sur le contacté Eduard Meier, nous pouvons lire ce qui suit lors d'un message donné par une Pléïadienne :

« Il existe un ordre dans cet univers, dans lequel les civilisations avancées enseignent à celles qui le sont moins ; l'évolution spirituelle doit aller de pair avec le progrès technologique... Nous ne sommes ni des missionnaires, ni des instructeurs, mais nous essayons de maintenir l'ordre dans toutes les régions de l'Espace.... »

Ce même E. Meier a pu prendre de nombreuses photos de vaisseaux. Evidemment beaucoup ont aussitôt pensé à des trucages faciles à réaliser dans ce domaine. Un journaliste photographe lui a rendu visite dans le but de démasquer une éventuelle supercherie, lui-même ayant déjà effectué de nombreux montages en chambre noire "en juxtaposant des visages et des corps pour leur donner une apparence de réalité." Voici ce qu'il dit :

« Je connais la technique, disait-il. Pour qu'un montage paraisse réel, il est nécessaire d'avoir un fond noir. La plupart des photographies parmi plusieurs centaines qu'a prises Meier montrent les vaisseaux sur un fond de ciel bleu et clair ; il y a quelquefois des nuages blancs.

Harold prit une des photographies en exemple. "Je ne saurais comment faire cela..."

Harold se glissa un jour dans le bureau de Meier qui était fermé à clé et fit soigneusement le tour de chaque recoin, chercha dans les tiroirs et les boîtes, sur les étagères, en quête d'indices de modèles réduits ou de films qui auraient pu prouver que Meier avait fabriqué ces photographies. Il ne trouva rien. »

Dans "**Les Messagers de l'Aube**", dans lequel l'auteur rentre en contact avec des Pleïadiens, nous pouvons lire ce qui suit relatif à une mainmise que nous acceptons trop facilement :

« L'ultime tyrannie dans une société n'est pas le contrôle par la loi martiale. C'est le contrôle par la manipulation psychologique de la conscience, à travers laquelle la réalité est définie de telle sorte que ceux qui s'y trouvent ne réalisent même pas qu'ils sont dans une prison.... Vous avez été contrôlés comme des moutons dans un enclos par ceux qui croient que vous êtes leur propriété, à partir des gouvernements et du gouvernement mondial jusqu'à ceux qui sont dans l'espace. Vous avez été privés de la connaissance par un contrôle de fréquence. »

Dans une autre partie de ce livre, les mêmes Pleïadiens précisent :

« Il existe une multitude de cultures et de sociétés à travers l'immensité de l'espace et ces sociétés et cultures ont eu des contacts intermittents avec cette planète depuis le tout début. Il n'y a pas que nous, les Pléïadiens qui sommes venus pour vous aider ; nous ne sommes qu'un seul groupe provenant d'un seul système d'étoiles. Il y en a beaucoup qui ont voyagé jusqu'ici et pour maintes raisons différentes. La majorité des extra-terrestres sont là pour votre avancement spirituel, bien qu'il y en ait également d'autres qui soit ici pour d'autres motifs." ..." L'utilisation des techniques subliminales visant à malmener la conscience humaine est devenue un programme mondial... les effets de la télévision sont tellement envahissants que vous ne pouvez arriver à contrebalancer ce que la technologie est en train de faire à votre fréquence vibratoire. »

A travers différents ouvrages relatant des contacts avec d'autres planètes il nous paraît incompréhensible que l'on veuille à tout prix boycotter cet aspect de la Vie... et pourtant il faut se rendre à l'évidence, les dossiers restent toujours secrets, clos ou effacés d'une manière ou d'une autre. On tourne en dérision la moindre personne qui dit avoir vu un OVNI, on efface les traces de ce qui pourrait tenir lieu de preuves et on falsifie des éléments pour discréditer toute forme de "soit-disant" contact. Il est facile de faire passer une soucoupe pour une casserole et inversement. Il est enfantin de parler de trucages lorsque le vrai et le faux se mélangent et que certaines photos sont volontairement truquées à des fins destabilisatrices.

Il est évident que diviser des êtres sur n'importe quel sujet d'envergure permet de créer la disharmonie qui elle-même se chargera d'entraîner la séparation. Des personnes qui ont la liberté du choix sont difficiles à dominer, ce qui n'est pas le cas de ceux qui ne parviennent pas à s'entendre et laissent l'émotivité envahir leur quotidien. Peu à peu chacun en arrive à un constat d'impuissance géré de loin et faisant tout à fait le jeu des "dominateurs". C'est donc bien ce moment là que nous devons mettre à profit pour retrouver notre "souveraineté". L'apathie, l'inertie, l'ignorance et la peur ouvrent les portes au despotisme et à toute forme de tyrannie. C'est à elles que nous devons couper les vivres si nous voulons devenir des Etres humains à part entière.

"**Le Gouvernement secret**" édité par Louise Courteau avec la contribution de Richard Glenn nous rapporte les tenants et aboutissants du projet M.J.12. (majority 12 ou encore Majestic 12). Ce groupe a été fondé par le gouvernement Américain en 1952 avec, pour mission officielle, de rassembler toutes les informations ayant pour sujet les phénomènes OVNI. En réalité... il s'agit de protéger le secret des implantations d'êtres de l'Espace sur notre planète. CIA et FBI sont manipulés à leur tour pour servir ce projet.

Douze hauts fonctionnaires composent le "pool" du projet MJ12 :

- Nelson Rockfeller
- Allen Welsh Dulles directeur de la centrale de renseignements
- John Foster Dulles secrétaire d'état
- Charles E. Wilson secrétaire à la défense
- L'amiral Arthur W. Radford, président du comité inter-armées des chefs d'états-majors
- J. Edgar Hoover, directeur du FBI
- Six membres clés du comité exécutif du conseil des relations étrangères (surnommés les mages). Ces mages faisaient tous partie de la Société Jason, un aréopage occulte.

En 1957 eut lieu un symposium réunissant les plus grands esprits scientifiques du moment. La conclusion fut la suivante : "Vers l'an 2 000, en raison de l'accroissement de la population et à cause de l'exploitation de l'environnement, notre planète ne pourra éviter la destruction sans une intervention divine ou extraterrestre.

Le président Eisenhower émet un décret-loi secret ordonnant à la société Jason d'étudier ce scénario et de lui soumettre ses recommandations... La Commission Jason présente trois solutions alternatives :

– Forcer l'expulsion dans l'espace de la pollution athmosphérique au moyen de déflagrations nucléaires. Cette expulsion concernerait entre autres les gaz carboniques ce qui aurait pour effet une diminution sensible de "l'effet de serre" qui est à l'origine du réchauffement progressif de la planète. Cette solution nécessite la mise en place d'une réelle politique de protection et d'exploitation de l'environnement, ce qui paraît difficile à mettre en place.

– Construire des villes souterraines pour y protéger une élite et une culture.

– Exploiter la technologie planétaire et extraterrestre afin qu'un petit nombre d'élus puissent quitter la terre et fonder des colonies ailleurs dans le cosmos.

Dans le même temps, poursuit l'article, un contrôle des naissances aurait été mis au programme ainsi que la propagation de microbes mortels en vue de ralentir l'accroissement de la population. Le Sida ne représentant qu'un des résultats de ce plan.

Les gouvernements américains et soviétiques s'intéressent de près aux solutions 2 et 3. Ainsi, en 1959, la société Rand organise un symposium sur "les constructions souterraines à grande profondeur", société qui a la possibilité de construire d'immenses corridors pouvant abriter d'éventuelles villes....

Les dirigeants comprirent qu'un des meilleurs moyens de gérer les projets clandestins reliés aux êtres de l'Espace consistait à accaparer le marché noir des stupéfiants. Georges Bush, alors PDG de la société pétrolière texane Zapata, fut pressenti pour participer au trafic ; les plates-formes de forage pourraient très bien servir à opérer ce trafic de la façon suivante :

Contrebande → Chalutiers → Amérique du Sud → Continent Nord-Américain avec la navette de ravitaillement du personnel régulier dont la cargaison n'est pas soumise à l'inspection des douanes.

De nos jours, la CIA contrôle une bonne partie du marché noir de la drogue à un niveau mondial !

Le président Kennedy eut un jour vent de quelques parcelles de ce vaste projet... Son intervention de nettoyage décida peut-être et entre autres de son assassinat. "Le comité des politiques" en transmit l'ordre aux représentants du MJ 12 de Dallas. William Green, le chauffeur de la limousine présidentielle et agent des services secrets aurait été l'assassin du président ce 22 Novembre 1963.

Voici intégralement un extrait du document intitulé "**Le Gouvernement Secret** " :

« MJ 12 fonctionne encore aujourd'hui sur le même principe qu'à sa création et il est érigé selon la même structure qu'au début. Six de ses membres occupent

les six mêmes postes clés au gouvernement et les six autres font partie du conseil des relations étrangères ou de la commission trilatérale, parfois même les deux à la fois. L'agence de la majorité qui coordonne tous les services de renseignements est celle que le public connaît sous le nom de "Senior interagency group" (SIG)

...Le Conseil des relations Etrangères et son rejeton La Commission trilatérale possèdent le contrôle des Etats-Unis. A l'instar de leurs homologues étrangers, ils font rapport de leur décisions aux Bilderburgers. Depuis la seconde guerre presque tous les hauts fonctionnaires du gouvernement et de l'armée, y compris les présidents eux-mêmes, font partie de l'un ou l'autre organisme, et tous les membres de la Commission trilatérale font partie ou ont déjà fait partie du Conseil des relations étrangères...

...Ce sont donc les "Bilderburgers", le "Conseil des relations étrangères" et la "Commission trilatérale" qui constituent le noyau du Gouvernement Secret. Ils dirigent le pays par l'entremise de Majority 12.

Dans un hors série de Juin 1992 intitulé : "**La lune salle d'attente**" nous pouvons lire "TIRE DE ETRANGETES et MYSTERES" :

« Au cours de l'année 75, au printemps, de nombreux savants et non des moindres se réunirent très discrètement en Angleterre. Le thème de cette rencontre : L'existence des extra-terrestres, la lune, les missions spatiales. Etait présent Joachim Kuetner qui participa aux programmes lunaires de la NASA. Il raconta très exactement ce qui se passe sur la lune, ce que les astronautes y virent... »

Actuellement, nous savons que le dossier de la NASA comporte environ 14000 photos de la lune. Ce chiffre est celui donné par cet organisme et nous sommes certains qu'il est bien plus important que cela...

... Au cours d'une conférence de presse, le Dr FAROUK EL BAZ professeur de géologie des astronautes a déclaré : "Il existe sur la lune des tours plus élevées que la plus haute des constructions terrestres."...Il faut savoir que toutes les discussions entre les astronautes furent enregistrées... Que devinrent ces bandes ? Sans doute furent-elles classées "Secret Défense" mais des fuites prouvent leur existence réelle.

Pourquoi les astronautes étaient-ils mis en quarantaine dès leur retour de missions lunaires ?... Afin d'éviter une contamination possible !

Ce que raconte SHEPPARS et ARMSTRONG donne une idée tout à fait contraire à ce qui fut dit. D'autres astronautes avouèrent avoir reçu la visite d'hommes de l'US Air-Force qui leur posèrent des questions, et leur firent pratiquer l'hypnose pour leur extirper certaines informations...

....Au cours du vol APOLLO 14 autour de la lune, les astronautes prirent une photo absolument extraordinaire. Elle montre l'image la plus nette jamais vue d'un engin mécanique évoluant à la surface de notre satellite... Cinq ans auparavant, un engin identique fut photographié. Cette similitude exclut le hasard.

Un spécialiste, le Dr Patrick Moore, membre éminent de la Société Royale d'Astronomie, directeur de la section de l'association Britannique d'Astronomie, auteur de très nombreux ouvrages sur la lune, consultant auprès de la Nasa dans le domaine des sondes spatiales dit :

« Je n'exclus aucunement la possibilité d'une sorte de Vie autochtone tellement étrange qu'elle nous échappe...... Les cratères ne s'entaillent pas, ne se déplacent pas, ne se rebouchent pas, n'émettent pas de lumière sous le seul effet de l'érosion ou de conditions climatiques réduites à leur plus simple expression pour ne pas dire inexistantes ! »

(extrait tiré d'un article de Melchior Karamenski)

Sur la revue "Connection" N. 2 du 3-5-95 voici ce qui est écrit : "Lors d'une réunion scientifique tenue à New-York en 1973, l'astronaute Américain Gordon Cooper a affirmé avoir rencontré plusieurs engins volants au cours de ses voyages dans l'espace. A cette occasion, il imputait également à la NASA et au pouvoir politique de cacher au public les nombreuses preuves en leur possession et notamment les échos radar quotidiens captés par toutes les tours de contrôle du monde ainsi que les engins et leurs occupants qui se sont écrasés sur notre planète.

L'astronaute russe Valerij Bikowskij déclara par radio au cours d'un vol :

« Ici Nibio. Quelque chose m'accompagne dans l'espace, cela vole à côté de la capsule et cela vient à ma rencontre... »

L'astronaute américain Scott Carpenter s'exclama par radio :

« C'est vrai, ils existent. Ils sont ici, faites-le savoir à Glenn... »

Armstrong et Aldrin déclarèrent à la base terrestre depuis la lune :

« ... Ce sont des objets énormes. Oh mon Dieu... Il y a d'autres vaisseaux alignés de l'autre côté du cratère. Ils sont sur la lune, ils nous observent...»

Le général de l'armée aérienne Dowin (chef de la R.F.A. en 1940) déclare à l'agence Reuter en août 1954 :

« Les soucoupes volantes existent réellement, elles sont interplanétaires... »

Sans doute est-il grand temps de se réveiller et comme le dit le créateur de la revue Connection : "la connaissance peut se substituer à l'ignorance et le courage peut balayer la peur inconsciente de la vérité."

Pourquoi citer tous ces extraits d'ouvrages, de documents et de déclarations diverses ? Sans doute pour montrer une fois de plus qu'il est évident que la Vie existe au-delà de la planète Terre. Une vie intelligente, spirituelle et autonome... Une Vie qui n'est pas uniquement faite de Lumière mais qui comporte aussi ses recoins et ses ombres... Une Vie de haute technologie qui parfois va de pair avec une ouverture de cœur identique et si je dis parfois, c'est simplement pour que tout au fond de nous l'on garde bien en conscience que la Vie n'est pas faite d'un seul paramètre, que l'ombre et la lumière s'y opposent souvent.... aussi souvent et aussi longtemps que nous n'aurons pas compris que les deux sont intimement liés pour former les pôles d'une même batterie.

Les dossiers qui suivent ce chapitre méritent une explication. Actuellement aux USA, une mode sévit avec beaucoup d'ampleur et de succès : "la mode des OBE" ou mode des petits gris. Partout il est possible d'acheter des lunettes avec une forme particulière qui correspond au regard prêté à ces petits extra-terrestres velus et gris ; les ballons de football sont aussi dessinés avec des têtes analogues, et sur les tee-shirts à leur effigie, on peut lire : "A Higher form of Intelligence" c'est-à-dire, "une forme plus élevée d'intelligence".

Lorsque l'on connaît l'impact des images répétitives, ce conditionnement laisse perplexe !

De même, un document officiel des USA m'a laissé une étrange impression. Il s'intitule :

"Fire officer's guide to disaster control" :

Les auteurs William M. Kramer et Charles W. Bahme sont on ne peut plus sérieux, du moins de par leurs fonctions... L'un est "district fire chief, Cincinnati fire division et director of fire science, University of Cincinnati". L'autre porte le titre de : "Deputy chief Los Angeles fire département, capitain, united States Naval reserve (à la retraite)".

Dans ce document, il est très sérieusement question des conséquences possibles d'une rencontre OVNI pour la population, puis de l'intérêt du Congrès américain pour les OVNI.

Suit un article sur les expériences des auteurs faisant part d'un nombre impressionnant d'OVNI dans le ciel de LOS ANGELES en 1942 et de chasseurs prenant sans succès ces OVNI en chasse.

Les auteurs continuent cette description par celle d'un président ayant été témoin de présence extra-terrestre. Ils confirment que la CIA aurait supprimé des preuves de cette présence, en expliquent les raisons ainsi que les recherches "top secret" qui continuent au sein du gouvernement Américain. L'article se termine tout naturellement sur les effets des vaisseaux spatiaux sur la population, sur les pannes de téléphone et de courant qu'ils provoquent sur leur passage et ... sur le droit de la NASA de mettre en quarantaine toute personne en contact avec des OVNI.

Alors, me direz-vous, pourquoi prendre autant de mesures si elles ne sont qu'une éventualité pour un scénario et des acteurs qui ne seraient que du domaine de l'imaginaire ?

– 7 –

Les solutions

« Si vous vous fiez au pouvoir d'un autre, vous affaiblissez le vôtre, si vous cherchez à posséder le monde, vous limitez votre abondance. »
Le Tao de la guérison

Les divers dossiers abordés ici peuvent nous laisser une impression de tristesse, de colère ou d'impuissance. Cependant et quoi que l'on puisse en penser, il n'est pas de problème sans solution et je suis complètement convaincue que nous sommes loin d'avoir dit notre "dernier mot", d'avoir joué nos "dernières cartes". Dans ce chapitre nous allons essayer d'envisager différents moyens pour nous permettre de retrouver l'énergie voulue pour vivre debout, face à nous-mêmes.

Comme tout être humain il est un réflexe qui nous conduit à éviter ce qui pourrait nous causer de la douleur et par là même à ne pas affronter ce qui perturbe notre "bien-être" quotidien. Alors, bien souvent nous contournons l'obstacle et de contours en contours nous perdons peu à peu le but et l'essence de notre existence... mais, les questions sont là, incontournables, inévitables et pointent du doigt ce que nous préférerions ne pas regarder. Dernièrement un kinésithérapeute me disait : « Dans cette ville, je suis content que la police mette un peu d'ordre parce que le spectacle de pauvres êtres mendiant leur nourriture met ma conscience mal à l'aise... d'autant plus qu'on ne peut donner à tous ! »

Cet homme a exprimé de cette façon un malaise qui touche beaucoup d'entre nous. Un mal-être qui donne une impression d'impuissance et de mauvaise conscience et finit par nous rendre agressifs au point que l'on préfère ne pas savoir, ne pas voir ce qui se passe autour de nous.

Dans mes dossiers, il y a un étrange vocable, celui de "camps de concentrations" existant à l'heure actuelle aux USA (voir dossiers). "Camps de concentration" me paraît un mot trop agressif pour l'heure car il soulève plus d'émotivité que de réflexion réelle. Je ne crains pas les mots mais ceux-ci sont de puissants vecteurs d'énergie, et si nous voulons que quelque chose change nous devons apprendre à les employer en ayant conscience de leurs effets.

Toute transformation commence par un changement intérieur, tout changement nécessite **un apprentissage**. Il est utopique de croire qu'à la naissance nous savons comment penser, dire et agir avec un amour inconditionnel. Nous avons toutes ces capacités en nous mais il nous faut les retrouver et chaque vie nous en donne un peu plus l'opportunité.

"Dire" cela s'apprend ! Je ne prétends pas posséder ce savoir mais je peux proposer ce qui nous a été appris en ce sens et que chacun peut apprendre dans la meilleure école qui soit actuellement et qui est à la portée de tous, celle de la vie quotidienne.

Le mot est la meilleure et la pire des choses, d'autres l'ont dit avant moi... Tout nom possède sa vibration propre et c'est cette vibration à répétition qui peut changer l'ordre des "choses". Il est maintenant à peu près admis que les prénoms ont une influence sur les comportements. Des ouvrages spécialisés dans le domaine en parlent de façon détaillée. De même n'est-il pas incohérent de se servir "d'Assurances-Maladie" pour protéger notre Santé. "Assurance-santé" serait de meilleure augure ! Et que penser du mot "invasion pacifique" ?

De nombreuses méthodes sont depuis quelques années préconisées dans les entreprises et d'autres secteurs divers sur ce qui est communément appelé "pensée positive". Beaucoup de philosophies, sous d'autres termes, avaient depuis bien longtemps connaissance de ces faits et la fameuse "méthode Coué" qui consiste entre autres à répéter une affirmation jusqu'à ce qu'elle donne un résultat dans la matière est une remise à l'honneur d'enseignements ancestraux de l'Inde.

Nous prononçons chaque jour des milliers de mots, nous pourrions donc dans l'optique d'assainir notre aura et par là même notre environnement, porter attention aux mots employés. Telle parole est-elle porteuse de paix, d'amour ou de joie, soulage-t-elle l'être à qui elle est adressée ou est-elle sans intérêt, voire même inutile ?

Parlons moins, parlons mieux, soyons conscients des énergies que nous envoyons chaque jour et de la force que nous mettons derrière les mots. Ainsi, notre monde intérieur peu à peu s'éclaircira et contribuera grandement à apaiser notre environnement. Cependant, pour que le mot existe, il faut d'abord qu'il soit porté par "la pensée" et là encore nous sommes dans un domaine où il nous est tout à fait possible d'agir.

L'un des Etres de Lumière qui nous est proche nous disait il y a peu de temps à propos des énergies qui jaillissent de nous en permanence : *« Ce sont ces dernières qui entretiennent le moteur de tous les asservissements. Que sont un canon et un obus sans la pensée et l'inconscience humaine qui les mettent en service ?... »*

La pensée est une force que peu soupçonnent. A elle seule, elle est capable de créer des mondes sur des plans subtils qui s'incarneront tôt ou tard sur le monde physique. Elle peut détruire et construire, imaginer et réaliser. Par elle naissent des philosophies, pour elle des êtres sont prêts à donner leur vie.

Par notre propre expérience, j'ai pu assister lors de sorties hors du corps à des spectacles fascinants. Il est des lieux sur les plans subtils où la pensée se concrétise. Elle s'incarne et il est alors possible de se promener dans les pensées des hommes. Hélas le spectacle est souvent éprouvant pour le promeneur astral, mais qui nous empêche de devenir de meilleurs metteurs en scène. Dans "**Les Messagers de l'Aube**" il est dit : *« peu importe la situation dans laquelle vous êtes, c'est le pouvoir de vos pensées qui vous y a conduits. C'est également la conviction irréprochable voulant que ce soit la pensée qui crée, qui transformera votre expérience de la Vie et l'existence planétaire. »*

Les pensées ne sont jamais anodines et notre expérience de nombreuses lectures d'aura nous en a maintes fois apporté les preuves. Une pensée envoyée avec force qu'elle soit de lumière ou d'ombre, emprunte un itinéraire précis. Elle quitte son créateur pour aller rejoindre aussitôt son destinataire et dans le même temps va nourrir un énorme sac contenant des pensées du même ordre. Ce sac souvent appelé "égrégore" va prendre vie grâce à toutes les pensées émises et servira de nourriture psychique à tout être de la planète susceptible de commettre un acte dans le sens de la pensée formulée. D'une façon simplifiée, nous pourrions dire qu'une pensée de haine ira amplifier l'action d'un tortionnaire dans n'importe quel endroit du globe alors qu'une pensée d'Amour renforcera la volonté et l'action de ceux qui œuvrent dans ce sens. Nous sommes les créateurs de nos pensées et bien souvent nous sommes complètement inconscients de la responsabilité que cela implique. Nous sommes tous reliés et interdépendants les uns des autres. Nous ne pouvons plus croire qu'il y a les bons d'un côté et les mauvais de l'autre. Nous sommes alternativement le Ying et le Yang et le balancier ne s'arrêtera que lorsque notre conscience et notre volonté forgées à l'extrême nous permettrons de réaffirmer notre positionnement, de savoir vraiment ce que nous voulons !

J'ai gardé en mémoire les évènements douloureux de la guerre du golfe. Sadam Hussein étant le personnage principal de cette partie de l'histoire des hommes, il était, par là même, l'être monstrueux contre lequel il fallait agir. Je n'ai aucun jugement à donner en ce sens mais il est une loi à laquelle on ne peut déroger, la voici donc :

Lorsque l'on dirige des pensées de haine, de colère, de violence vers une personne jugée perverse, on ne calme rien. Au contraire on nourrit les formes-pensées qui soutiennent déjà cet être dans son action destructrice et l'on renforce le phénomène. On ne peut enrayer la haine par la haine ! Entourer de tels êtres de lumière peut au moins contribuer à neutraliser les forces d'ombres qui sont alentour.

Par cette analyse des formes-pensées, mon but n'est pas de créer une culpabilité supplémentaire et inutile mais plutôt une notion de responsabilité. Il ne sert à rien de se culpabiliser pour des pensées déjà émises mais il est aujourd'hui urgent et indispensable de savoir que nous sommes responsables de nos mots et de nos maux, de ce qui nous arrive, de nos gouvernants, des tortionnaires qui brutalisent nos semblables, des affameurs de peuples, des esclavagistes en tous genres mais aussi responsables de la joie, de l'entraide, de l'Amour entre les hommes.

Responsable ne veut pas dire coupable, cessons désormais de nous sentir isolés les uns des autres. Il n'y a pas "les autres et nous", il y a nous tous réunis, cellules d'un même corps et unis pour faire fleurir l'Amour.

Quel est le but d'une vie, de milliers de vies sinon de réveiller l'Amour dans chacune de nos cellules et de le faire jaillir autour de nous. Nous oublions si souvent ce but... à cause des contingences de la Terre... et nous nous perdons en perdant le fil d'or qui nous relie les uns aux autres. Il faudrait pourtant si peu pour renouer ce fil !

Les êtres qui veulent nous gouverner ont tout intérêt à faire régner en nous la peur et à y faire croître ce sentiment d'impuissance et de culpabilité qui nous rend si vulnérables. Il est ainsi plus facile d'imposer une dictature visible ou non et sous quelque forme qu'elle soit à des êtres fragilisés. **La peur** nous "colle à la peau", elle est autour de nous, présente sous de si nombreux masques que parfois on ne sait même pas qu'elle est là. Peur de perdre la face, son travail, ses amis, sa notoriété... peur de la nuit, du jour, des autres qui ne sont pas nous, peur du loup, de la maladie et j'en passe. Pourtant, si nous réfléchissons, tout cela se résume en une seule grande peur, celle de mourir, de mourir à soi-même, à notre personnage, aux autres, à notre petite individualité. Que de conflits petits ou grands auraient pu être évités sans Elle !

Si nous savions combien la Vie nous réserve de cadeaux lorsque nous acceptons de lui faire confiance, nous déposerions tout de suite à ses pieds nos encombrants bagages car la Vie jamais ne s'arrête, même au-delà des apparences. Elle continue encore et encore... à nous offrir les conditions idéales pour grandir un peu plus à l'intérieur de nous et si nous nous cognons régulièrement, c'est toujours sur le même type d'obstacle. La Vie est notre meilleure maître et nous remet face aux mêmes leçons jusqu'à ce que celles-ci soient comprises et apprises. " Dieu n'est pas injuste, il est réaliste" disait le personnage principal du film" Entre terre et ciel". Je pense que cette remarque est profondément vraie. Nous cherchons le juste et l'injuste partout, nous classons en vrai et faux, en bon et mauvais, alors qu'il nous est justement demandé de ne rien séparer, de nous centrer sur ce qui nous rassemble et d'oublier ce qui nous divise.

La Vie EST, les Etres Sont ! Se couler dans le sens de la Vie, en toute **confiance**, accepter et continuer à aimer, s'accepter et continuer à s'aimer va nous amener au-delà de nos peurs. Savoir que rien n'est l'effet du hasard, que chaque rencontre, chaque épreuve, chaque joie sont autant de tremplins vers l'Essence de Soi, voilà qui permet d'aller chercher au plus profond de nous le courage de vivre debout, sans faux prétextes, sans "oui-mais".

Une qualité peut nous permettre de prendre l'altitude nécessaire pour préserver une attitude juste, en regard des évènements qui surviennent dans nos vies et dans la vie de la planète. C'est elle qui permet de transmuter l'ombre en lumière car elle nécessite l'amour et porte le nom d'**Humour**. Submergeons l'ombre de lumière, ne sortons aucune arme ni même de bouclier car celui-ci, pour protecteur qu'il soit, appelle inconsciemment une arme. *« Hissons notre compréhension et notre volonté au-delà de la sphère des blessures. Un tel engagement n'a rien d'anodin... il demeure la seule alternative afin d'éviter un nouveau naufrage à l'humanité. »* "**Par l'Esprit du Soleil**".

L'Amour Sans Limites s'accompagne toujours de cet humour qui aide à sourire puis à rire à la Vie. Sans aucune ironie, il permet d'aller au-delà de l'obstacle et d'avoir une vision autre. Les faits n'ont que l'importance qu'on leur accorde... alors, cessons de donner de l'importance à ce qui n'en mérite pas. Il est nécessaire de savoir mais pour retrouver le pouvoir souverain qui est le nôtre, travaillons avec ce qui est lumineux. C'est la condition essentielle pour se libérer de toute ingérence car personne ne peut ni ne doit régir notre vie à notre place.

Dans "**Les Messagers de l'Aube**" nous pouvons lire : *« ... Il vous faut devenir votre propre autorité et cesser de laisser entre les mains des responsables gouvernementaux, des parents, des enseignants ou des dieux le soin de prendre des décisions qui vous appartiennent... Il y a une certaine complaisance sur Terre... Vous êtes sur le point de vivre toute une aventure et il n'y a que vous qui puissiez la mener à bonne fin. »*

L'Etre qui nous guide dans "**Par l'Esprit du Soleil**" continue comme suit : *« ...Le Déconditionnement est l'itinéraire obligé que chacun empruntera pour se sortir de l'impasse. Il est le déclencheur qui permet d'agir...face à un endoctrinement selon des valeurs illusoires.... L'Eveil de l'Esprit, signifie l'insoumission... à tous les types de gouvernements qui prétendent penser à votre place, politiquement, économiquement ou religieusement. »*

N'oublions pas que chaque erreur, chaque faiblesse peut devenir un tremplin. Nous avons en nous la possibilité de réfléchir, de nous informer, de dire oui ou non, de **consommer ou non**. Là aussi réside notre force.

Je vais ici vous faire part d'une expérience personnelle, vécue lors de la parution de notre livre "**Le Peuple Animal**".

En fin d'ouvrage nous avons publié une liste de laboratoires pratiquant des tests sur les animaux. Cette liste venait d'un organisme spécialisé dans le sujet. Quelques temps après la sortie de notre ouvrage, nous reçûmes plusieurs coups de téléphone et de nombreuses lettres venant des laboratoires incriminés. Ceux-ci nous disaient en substance ne plus faire d'expérimentations ou les arrêter bientôt. Renseignements pris, nous sûmes que ces laboratoires avaient eux-mêmes reçu un abondant courrier venant de leur clientèle et leur demandant des explications. Cela n'est qu'un exemple parmi d'autres mais il est la preuve vivante que le consommateur peut considérablement influencer le producteur. Si un consommateur cesse de consommer un produit qui ne lui convient pas, il n'y a plus de producteur !

Nombreux sont en fait les moyens mis à notre disposition.

La musique peut en faire partie et nombreuses sont les études faites sur le sujet. Chaque note a une intensité et une fréquence qui lui sont propres. Combinées d'une certaine façon et sur une fréquence spécifique, le rôle de ces musiques devient alors pacificateur car les sons déclenchent des effets jusqu'au fond de l'âme.

La Résistance passive est aussi un acte puissant. Si Gandhi a su dire NON sans faire la guerre, nous le pouvons nous aussi ! Nous savons manifester et nous rassembler pour obtenir plus d'argent ou de travail, mettons aussi cette énergie dans toutes nos autres formes de choix qui nécessitent un engagement particulier. Nous pouvons faire cela sans cris et sans heurts, simplement en refusant ce que nous ne voulons pas et que l'on tente de nous imposer. Pour résister même passivement il faut cependant savoir, connaître, comprendre, être informés. Cela ne nous rendra pas invincibles mais nous permettra, par exemple, de prendre le recul nécessaire à un jugement sain et d'éviter de craindre de soi-disant "épidémies" qui sont parfois loin d'une réalité objective.

La solution de tout cela peut se parer de plusieurs visages... nous dira l'Etre de Lumière. Quel que soit l'aspect sous lequel vous pouvez considérer la question, je ne puis que vous suggérer trois mots qui, bien qu'ils en fassent sourire plus d'un, représentent la maîtresse-clé, face à une situation aussi cruciale : **Amour Sans Limites**.

Et pour l'Etre d'action qui se veut Amour, ces trois mots ne peuvent se concrétiser qu'à travers des faits, des actes. L'Etre qui aime au plus profond de lui ne sait pas qu'il aime car il n'est plus dans l'acte, mais il est l'acte lui-même. De même, celui qui agit par la lumière ne sait pas non plus qu'il agit ainsi car il devient lui-même Lumière. "Etre Amour" est un état de vie qui remplit chaque geste, chaque pensée. Chaque acte peut devenir un hymne à l'Amour et recevoir un éclairage nouveau si la pensée qui le dirige se veut Lumière. Faire la cuisine, balayer, taper à la machine, parler avec un voisin, conduire une voiture, monter dans un bus, attendre dans une file, ne seront plus des actes dénués de sens si nous ne les voulons plus tels. Chacun de nous peut devenir une gerbe d'amour et de lumière à travers ses pensées, ses paroles, ses actes. Rien n'est plus simple et plus à la portée de tous si nous le voulons vraiment. Rien n'est plus difficile aussi, si nous prenons cela comme un "travail". Faire les actes avec conscience voilà le secret qui peu à peu nous mènera à la Vie avec un V majuscule, le secret qui inondera peu à peu le monde, de Lumière et fera reculer l'ombre jusqu'à ce qu'elle aussi se transmute.

L'existence essaie de semer en nous le doute et la séparation, **la Voie du Service** est la Voie royale qui va nous permettre de retrouver l'Unité en nous et au-delà de nous. C'est elle qui nous rend disponible à autrui, nous empêche de moraliser et de nous faire agir par pitié ou parce que c'est bien. C'est par elle que l'Esprit descend dans la matière et que la matière devient Esprit. La Voie du Service ne sépare pas, elle unit !

Il y a quelques années, nous nous étions rendus à Calcutta. Nous n'espérions pas rencontrer Mère Teresa alors hospitalisée pour un problème de cœur et de paludisme. Alors que nous étions dans son lieu de vie et contre toute attente, elle arriva... Il n'y a pas de hasard ! Nous découvrîmes sur ses conseils les endroits où elle avait commencé et où d'autres continuaient à guérir, à prier ou à aider à mourir pour que la vie conserve sa valeur jusqu'au bout. Avec elle nous avons prié pour tous les travailleurs de lumière... L'Inde nous était familière et nous étions heureux qu'elle œuvre ainsi auprès de tous ces démunis de la vie.

Quelque temps plus tard et entre deux avions, je lisais... Un passage du livre parlait de Mère Teresa. Je fus plus attentive et appris par cette lecture que chaque sœur était parrainée par une personne en général handicapée ou ne pouvant agir sur le terrain mais apportant son aide par ses pensées et ses prières.

Intuitivement, Mère Teresa savait. Elle n'avait nul besoin de connaître les mécanismes des formes-pensées pour croire que la prière et les pensées émises à cette occasion n'étaient pas que de l'imaginaire. Pour cette femme pratique et concrète, action et pensée allaient de concert.

Que dire devant tant d'évidences, sinon qu'il n'est plus temps d'être tiède si l'on veut gravir le sentier abrupt mais combien enrichissant qui nous mènera au-delà de nos peurs. La lumière règne toujours en maître sur l'obscurité et lorsque l'on ouvre une fenêtre dans un lieu sombre, c'est toujours elle qui pénètre et non l'inverse.

Nous ne sommes pas indispensables à l'avance des mondes mais notre action est pourtant importante. A chaque pas que nous faisons vers la lumière et l'amour, nous créons une avance pour la terre entière. Lorsque nous baissons les bras, las et découragés, une multitude d'êtres courbent un peu plus le dos.

C'est donc à nous de savoir ce que nous voulons vraiment et ce à quoi nous sommes prêts pour y arriver. Notre engagement se veut-il maximal ou préférons nous attendre... ?

Ce livre-dossier n'a qu'un but : celui de vous permettre de vous poser des questions. Il n'a pas l'ambition ni la prétention de vous proposer de réponses. La réponse ne peut être qu'individuelle car elle demande une plongée au fond de soi tellement personnelle qu'elle ne peut être faite par nul autre. L'Amour sans condition reste cependant le maître-mot de cet ouvrage car sans lui tout serait dérisoire et ridiculement inhumain. Le Gouvernement Mondial n'existe que parce qu'il est aussi en nous, ce qui signifie que la solution est toujours intérieure. Lorsque nous aurons nettoyé en nous tous nos conditionnements, ces petits tortionnaires habiles qui nous poussent à agir de façon mécanique, alors et alors seulement... celui-ci disparaîtra de la surface de la Terre.

« Que la conscience de la Flamme divine qui réside en chacun vienne à fleurir ne serait-ce qu'un peu plus dans les années à venir, et l'emprise du Gouvernement Mondial et de ses alliés-manipulateurs d'outre-espace sera vouée à l'échec. L'Eveil de l'Esprit signifie l'insoumission à tous les plans d'organisation égotiques et, par conséquent, à tous les types de Gouvernements qui prétendent penser à votre place, politiquement, économiquement ou religieusement.

*Sortir de l'illusion que nous évoquions, ce n'est pas attendre que celle-ci s'estompe par la seule force des prières. C'est, nous le répétons, ensoleiller l'Illusion, la dédensifier en se faisant avec détermination l'allié actif de "**Celui qui vient**".*

Celui qui vient

ARTICLE TIRÉ DE "L'EVENEMENT DU JEUDI"
N° 617 du 24 août au 4 septembre 1996

CONFIRMATION

Un anti-douleur : la pensée positive

Que la douleur que l'on ressent ne dépende pas seulement d'une cause physiologique objective est déjà une évidence. Que l'état d'esprit de la personne concernée puisse influer largement sur son intensité semble acquis, mais n'a guère fait l'objet d'études approfondies. Les chercheurs réunis la semaine dernière au Congrès international de la douleur à Vancouver en savent un peu plus après avoir écouté une intervention résumant les trouvailles d'une équipe de collègues de l'hôpital Johns-Hopkins. Ces derniers ont cherché à évaluer l'impact d'une « pensée positive » et de son inverse sur la douleur ressentie en étudiant des volontaires invités à plonger leurs mains dans de l'eau glaciale, au sens propre. Soixante-douze cobayes ont ainsi accepté de tenir le plus longtemps possible tout en se concentrant selon le cas sur des messages positifs, négatifs et même neutres, et cela après une séance de répétition. Les observateurs notaient le moment où chaque volontaire affirmait avoir atteint le seuil de la douleur et surtout celui où il finissait par se soustraire à l'épreuve. Constatation : tandis que les idées négatives réduisaient la tolérance de leurs auteurs « d'une manière significative », la « pensée positive », indique-t-on, permettait à l'inverse de tenir deux fois plus longtemps. Mais quel genre de catéchisme a-t-on pu faire avaler à ces stoïques version Coué ? Essentiellement que l'eau froide était bonne pour eux, ou plus précisément pour la circulation sanguine, la cicatrisation des blessures, les ongles...

En guise de bouquet final je voulais offrir au lecteur une gerbe de lumière. Ce sont des morceaux choisis d'enseignements qui nous ont été donnés par les êtres qui sont nos guides.

Puissent ces paroles vous aider comme elles le font pour moi et vous permettre de vous lever au-dedans de vous.

L'amour total n'est pas et ne sera jamais une affaire de respiration, ni une façon de placer la main sur le cœur. Il est le cœur lui-même. Par cela, tout est dit. Comprenez maintenant qu'en dehors de cela, tout est simagrées ; tout est support et illusion d'action. La terre ne peut plus supporter d'apprentis amoureux. La terre veut être elle-même. Ne cherchez donc plus d'excuses à vos faiblesses, à vos relations parfois si difficiles... Les déchirements et les suspicions sont autant de chardons à transmuer en roses, autant de fenêtres à ouvrir...

Mais puis-je en dire davantage ? Il n'y a plus de place, ni pour le calcul, ni pour le verbiage ; "Soyez" c'est tout ce que nous demandons, c'est tout ce qu'un jour vous avez souhaité venir réaliser.

Soyez donc clairs avec ce que vous voulez, ...le virage dépend de votre capacité d'aimer et de votre force de confiance. Votre capacité d'aimer doit être le fossoyeur des vieilles habitudes, des querelles dérisoires. Comment parler de paix si entre vous vous n'en connaissez pas la première lettre. Savez vous ce que signifie le baiser de paix que vous vous donnez mutuellement ? Qu'il ne renferme aucune arrière-pensée. L'arrière-pensée exerce un travail de sape et brise les forces de consolation que nous voulons faire vôtres.

Quel début de solution vous proposer autre que le silence ? Savez-vous ce qu'est le silence ? Il est la voix du cosmos. Il est un chant continu qui peut emplir vos jours et vos nuits. Non, cela n'est pas une belle phrase que nous vous transmettons pour le plaisir du verbe. Ces quelques mots reflètent une vérité première. Ecoutez le silence et vous vous relierez à votre être primordial. De sifflements aigus en chants à peine audibles, vous remonterez ainsi au fil des mois jusqu'à la source dont vous êtes issus. La mélodie du prâna dans votre corps peut vous conduire elle aussi à la symphonie du père dans l'univers. C'est une ligne droite que certains auront peut-être la nécessité d'emprunter. Ecouter le silence est une forme de méditation pour celui qui veut transmettre, pour celui qui se place à mi-chemin entre l'éternelle lumière et l'ombre. Ecouter le silence ne contraint pas à la solitude. Vous devez être capables de le percevoir au sein d'une foule palpitante. Ecouter le silence c'est plonger en vous-même comme si vous plongiez au cœur du monde. Non pour vous abreuver le mental de son spectacle mais pour lui offrir votre joie. Que le silence de nos esprits parvienne jusqu'à vous, c'est presque ce que nous avons de plus cher à vous souhaiter.

L'émotivité est encore à combattre parmi vous, l'affectivité également. Il faudra que vous restiez de marbre, non pas insensibles et froids mais forts de la confiance et du sourire que nous avons tentés de vous offrir. Dans le cas contraire, vous encombreriez votre esprit de scories de l'égrégore de vos angoisses humaines que vos masses média colportent et nourrissent si bien. Soyez stables, fermes, fermes dans ce que vous savez de l'Amour à découvrir, vigilants quant à ce que vos oreilles croiront entendre.

Le cœur que vous devez rechercher se situe dans la moindre de vos cellules. Chacune des molécules qui constituent votre être dans sa totalité doit être incorporée par l'Amour absolu. C'est par cette prise de conscience seule que votre être peut se transmuter progressivement et aider autrui à la transmutation. Chacune des cellules de votre corps représente l'absolu de la Lumière, l'absolu de la pureté, si ce n'est en réalité tangible, du moins en puissance.

Portez donc l'Amour du creux de vos poitrines jusqu'à la fleur de votre peau, jusque dans le scintillement de vos regards, jusqu'à la plante de vos pieds, jusqu'à vos pieds, jusqu'à vos narines qui hument l'air, jusqu'à votre bouche qui peut en exprimer plus que les germes. Tous vos sens sont des organes aptes à incorporer le Kristos. Ils sont un peu de Kristos qui cherche à se découvrir. Ainsi, votre tâche est de porter votre cœur partout où l'énergie circule en vous, partout où cette vie vous conduit. Ainsi vous serez guérison vivante. Ainsi, vous serez Lui, Lui dont le retour n'attend que cette forme d'expression pour éclater au grand jour. Vous le savez bien, il n'y a pas de sermon qui puisse faire comprendre cela, il n'y a pas de recette qui permette de l'intégrer. C'est la vie qui va vous l'enseigner, laissez-la simplement venir afin de la redistribuer sans mesure.

La propagation de la Paix est la première de vos charges, la première pierre aussi de votre engagement, la première marche de l'humanité vers elle-même.

Pour parler de paix, il faux savoir ce qu'elle est et être capable de la donner. Elle ne s'offre pas par des mots, mais vous devez vous en douter, par un rayonnement. Ce rayonnement doit se montrer tel qu'il est aux origines et non pas déformé par le miroir mental de l'auto-satisfaction, du désir de la bonne action à accomplir. Non, nous sommes loin de tout cela si nous voulons donner le rayonnement vrai de la Paix. Celui-là doit être un flambeau qui jaillit de notre esprit, traverse notre âme et se lit sur notre corps. C'est dire qu'il doit modifier intégralement et de façon durable votre aura. C'est un travail de reconstruction de soi que nous voulons donc induire en vos êtres profonds. Vous devez être solides pour donner ce qu'on attend de vous. Votre aura ne doit en aucune façon être une muraille autour de votre corps ainsi que cela en est trop souvent le cas. De quoi voulez-vous vous protéger puisque vous n'avez rien de vrai à craindre. Que craint-on d'un artifice sinon les coups d'épée dans l'eau ?

Pour donner la Paix, non pas la Paix des étoiles ou de la terre mais la Paix du cosmos entier, sans simulacre nous vous proposons donc une petite méthode qui peut vous simplifier la tâche. Mais par pitié, n'y voyez pas une technique remède à vos faiblesses de diffusion et à votre force de dispersion. C'est un simple point d'appui, une forme de mortier supplémentaire apporté à la reconstruction de votre édifice.

Assis sur le sol, les yeux fermés, respirez l'air ambiant, imprégnez-vous en par de longues et profondes inspirations. Ne forcez pas en ce sens vos respirations car une hyper oxygénation de votre organisme ferait actuellement un travail intense. Ce qui importe surtout, c'est de trouver le sens de cette respiration...

Savez-vous qu'à chacune d'elle, vous absorbez intégralement l'énergie Christique. Cela n'est pas une figure de style de notre part. Notre Frère le Soleil est présent tout entier dans la plus petite particule d'oxygène que vous assimilez. En même temps que vous respirez, voyez donc le soleil emplir votre cage thoracique puis vos veines. Ce n'est pas une visualisation que nous vous proposons mais une simple tâche de prise de conscience et de lâcher prise. Assimilez l'énergie de Vie contenue dans chaque élément air. Jusqu'ici vous l'avalez, vous l'engloutissez sans en percevoir la saveur et les infinies vertus. C'est une des bases, comprenez-le, que cette simple compréhension. Lorsque cela commence de s'accomplir efforcez vous, les yeux clos, de ne pas garder cette énergie pour vous. Pourquoi faire des provisions de ce qui est inépuisable. Ainsi donc à chaque inspiration, projetez en douceur votre aura de plus en plus loin de vous. Que vous la sentiez blanche, bleue ou autre importe peu, au fil des jours et des mois, elle tissera son réseau de plus en plus parfait, de plus en plus loin de vous et aussi de plus en plus concret. Vous donnerez et commencerez à donner ce que l'on attend de vous et qui n'a pas de nom. Pour tous les êtres, dans tous les mondes, pour tous ceux qui espèrent un signe, voilà ce que nous vous demandons. Ce n'est pas une prière mais un espoir.

N'opposez rien, n'opposez pas même l'intérieur et l'extérieur, le dehors et le dedans, votre amour est l'amour suprême. Lorsque vous sentez la nécessité de vous transmuter en canal de guérison ne voyez donc dans le choix de ce terme qu'une commodité de langage. Le langage peut parfois dangereusement faire naître des concepts erronés. L'univers intérieur et l'univers extérieur ne sont si l'on veut aller au fond du problème qu'une pure création mentale. Il y a simplement l'être, pas même vous et les autres, pas même votre Père et les autres, pas même l'esprit et le corps. Il n'y a en vérité, qu'une conscience et si vous comprenez ce que cela signifie vous saurez en réalité que vous demeurez en permanence, en quelque point de la création que ce soit, au plus profond de vous même comme aux confins, ou du moins à ce qui semble être les confins de la galaxie, de nos galaxies. Si vous comprenez cela, vous êtes l'intérieur et l'extérieur, vous êtes le soin, c'est-à-dire que vous êtes l'amour omniprésent.

Un mot est un monde, une phrase une galaxie. Sachez donc quelle est exactement la teneur de ce que vous dites, apprenez à ne plus souffler inconsidérément sur les mots comme pour les expulser loin de votre bouche. Le désordre qui sort de vos gorges et de vos langues ne sera jamais, comprenez-le, que le reflet d'un désordre mental. Soyez à la mesure de vos aspirations. Les mondes que vous créez encore sont trop semblables à des bulles de savon qui éclatent. Mettez donc un ordre réel dans vos paroles et vous mettrez de l'ordre dans votre esprit. Nous ne voudrions pas induire en vous l'idée d'une auto surveillance de chaque instant, mais plutôt celle d'une vigilance, simplement une vigilance doublée d'un peu plus d'amour.

Au temps des patriarches, l'humanité vivait et vibrait au rythme de la force primaire du Père, dans le domaine de ses premières pulsions. A l'heure de votre F'rère Kristos, l'humanité s'est hissée jusqu'à son point de rencontre avec l'amour. Hélas celui-ci a été trop souvent confondu avec l'affectivité. Dorénavant sonne le temps de l'Esprit, celui de la Colombe, celui de la créativité et de la concrétisation. Celui aussi de la domination du mental. Voilà pourquoi il vous faut absolument domestiquer votre centre laryngé. Laissez venir à vous un peu plus de silence un peu plus de paix.

Il en est parmi vous qui, une fois de plus s'endorment, qui sommeillent dans leur bonne conscience, qui s'abritent derrière la force et la ténacité des autres, qui enfin n'ont pas compris que l'on ne se construit pas non plus en faisant de son jardin intérieur une excuse, un prétexte ou une obsession. On se construit aussi et sans doute avant tout sur le terrain de l'amour des autres. C'est sur le terrain que l'on apprend d'abord à connaître un peu mieux les mots que l'on utilise et les émotions que l'on suscite. C'est sur le terrain où l'on oublie aussi son orgueil, sa fierté pour redécouvrir sa propre noblesse et celle d'autrui. C'est le terrain du regard, juste, sans détour et volontaire de ceux qui perçoivent le Souffle. Nous voudrions que vous soyez si nombreux à le recevoir ce Souffle, vous qui souvent avez la prétention de mieux savoir, de mieux comprendre, que la majorité des humains. Recevez-le enfin, non plus au gré de ce qui vous arrange dans les détours de votre personnalité, mais comme le faisceau de lumière qu'il est, c'est-à-dire, sans vaines hésitations, sans faille.

PRATIQUE POUR ENDIGUER L'ÉMOTION

Vous commencez par placer votre main gauche sur votre troisième plexus tandis que la droite ira se loger à l'endroit du quatrième. Vous demeurerez ainsi un bon moment, les yeux clos, laissant aller votre respiration librement.

Au bout d'un certain temps, vous tenterez de visualiser, sur votre écran intérieur, l'image d'une coupe translucide qu'un léger filet d'eau emplit légèrement. Lorsque celle-ci sera pleine, c'est-à-dire lorsque votre cœur sera plein d'une onde fraîche, inspirez puis expirez totalement, de tout votre être, afin d'expulser la myriade de formes-pensées embryonnaires qui déjà se voyaient générées par la situation. Que chacune de vos mains, ensuite, se hausse d'un degré, ainsi, que la gauche cherche le quatrième plexus et la droite le cinquième. Vous émettrez alors le son M et vous sourirez en remerciant la vie de vous faire vivre ces instants.

N'ayez pas peur alors de lui adresser quelques phrases, quelques phrases qui seront toujours les mêmes dans cette situation et qui pourront revenir d'elles-mêmes, tel un leitmotiv. Enfin, vous joindrez les deux mains et vous ouvrirez les yeux.

Ainsi pourrez-vous procéder, mais n'oubliez pas que le bâton de pèlerin présuppose votre volonté de marcher. Ne le comparez pas à quelques pilules anesthésiantes. Son but est de vous renforcer, épreuve après épreuve tout en vous laissant votre entière lucidité, car ce n'est pas dans l'oubli de l'émotion et de ce qui la génère que la clé se situe mais dans le taux vibratoire avec lequel vous l'abordez puis le survolez. Vous devez aller au-delà de votre masque, non par la fuite mais par amour pour cette vie qui coule en vous et qui représente tellement plus que ce que vous imaginez. Que toute la paix dont vous avez soif soit accueillie en pleine conscience.

(Pratique tirée du livre d'exercices "Sois" - Ed. Amrita)

« Le monde est dangereux à vivre non à cause de ceux
qui font le mal mais à cause de ceux
qui regardent et laissent faire. » A. Einstein

- DOSSIER -

LE GOUVERNEMENT MONDIAL

LA SITUATION ACTUELLE

Les Illuminati tiennent le monde dans leur filet par l'intermédiaire des banquiers internationaux qui sont en liaison avec les *sociétés d'élite* déjà mentionnées et par les empires qu'ils ont construits. Ils sont sur le point de renforcer encore plus leur *mainmise* sur cette planète. Leur contrôle principal s'exerce grâce aux dettes nationales des pays. En outre, il existe une force de police internationale qui maintient, dans les rangs "les Etats indépendants, tels que la Libye et l'Iran : ce sont les troupes de l'ONU. La Libye qui manifeste son indépendance par rapport au contrôle international représente un défi pour le **Nouvel Ordre mondial**, Mu'ammar al Kadhafi est présenté dans les médias comme un terroriste, ce qui justifie d'autant plus les agressions contre son pays.

George Bush fut un des meilleurs partenaires que les Illuminati aient jamais eu, et il devra le rester jusqu'à son dernier souffle, car il est fortement impliqué dans le trafic illégal de la drogue (&8 des Protocoles). (123)

George Bush est un ex-chef de la CIA, un ex-chef du CFR, membre de l'ordre, Skull & Bones", membre de la "Commission trilatérale" et membre du "Comité des 300".

Son concurrent aux dernières élections présidentielles, **Bill Clinton**, le président actuel, est membre du CFR, des "Bilderberger" et membre à vie de l'"Ordre de Molay" franc-maçonnique. Il est membre aussi de la "Commission trilatérale" depuis le début des années quatre-vingts.

TABLEAU REPRIS À PARTIR DE CELUI DE L'AMERICA WEST
P.O. Box 986 - Tehachapi, CA 93581

Quelques-uns des organismes faisant partie du comité des 300.

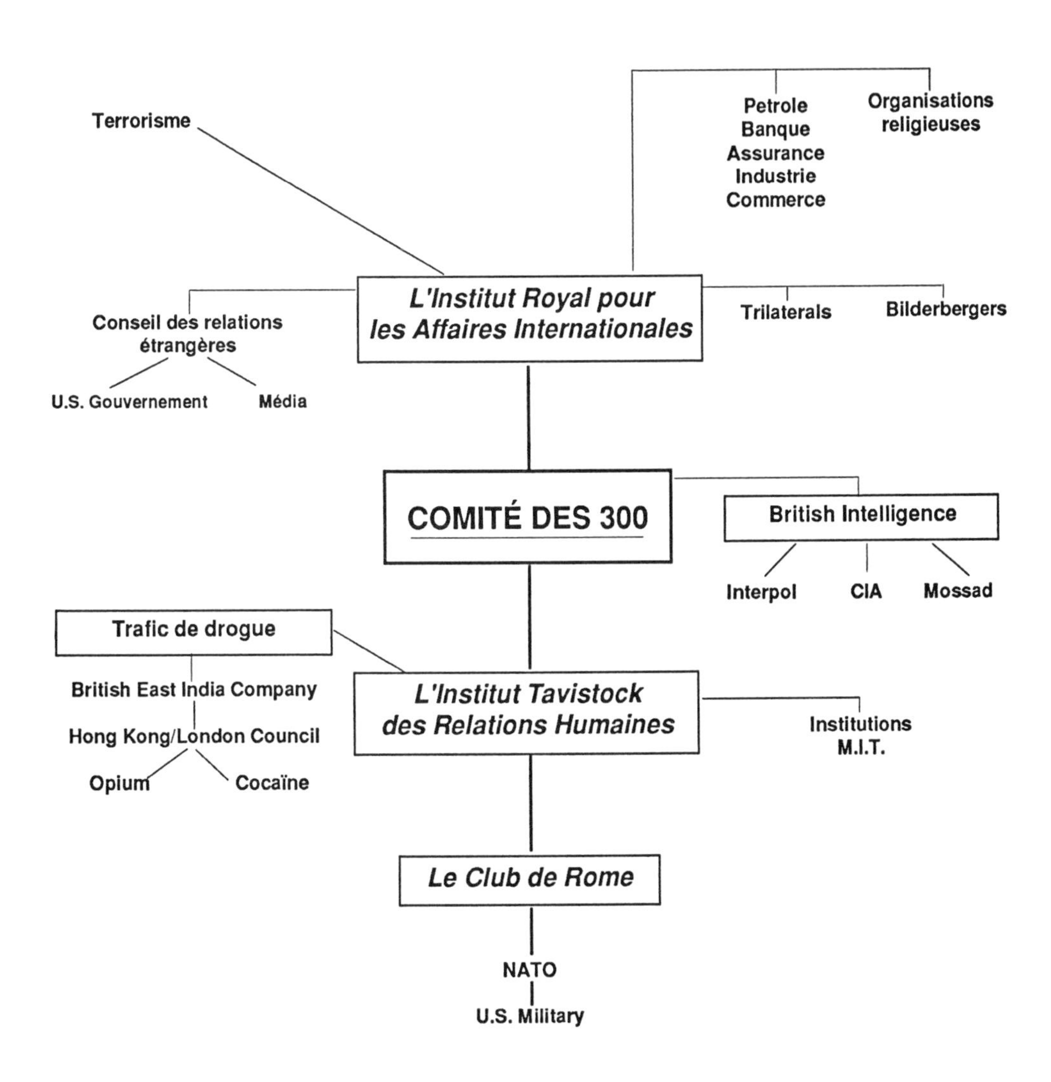

Ci-dessous la traduction de certains de ces organismes :

- Interpol : polices internationales siège à Lyon.
- Mossad : Agence secrète Israélienne.
- British East India Company : Compagnie des Indes orientales.
- M.I.T. : Massachusset Institute of Technologie.

Le livre "**Les Sociétés Secrètes**" publie à titre indicatif une liste de noms qui seraient membres du comité des 300. Je les soumets au lecteur sans autre partie pris que celui d'une information.

Le conseil des 33

"Y sont représentés les francs-maçons des rangs les plus élevés du monde de la politique, de l'économie et de l'Eglise. Ils sont l'élite du "Comité des 300". " (D'après Todd et Coralf.)

... Signalons que chez les francs-maçons et aussi chez les chrétiens, 90 % des membres sont utilisés par *l'élite* et qu'ils n'ont, pour la majorité, pas la moindre idée de ce qui se trame au sommet. C'est exactement pareil pour le "Lions Club", le "Rotary", etc. (L'éminent franc-maçon Paul Harris fonda le Rotary International sur l'ordre de la loge B'nai B'rith en 1905 à Chicago : cette même loge créa le Lions International, également à Chicago, en 1917. (Code 1/88 p. 47).

Le comité des 300

Créé en 1729 par la BEIMC (British East India Merchant Company) pour s'occuper des affaires bancaires et commerciales internationales et soutenir le trafic d'opium, le "Comité des 300" est dirigé par la Couronne britannique. Il représente le système bancaire mondial dans sa globalité et compte, en plus, les représentants les plus importants des nations occidentales. Toutes les banques sont reliées aux Rothschild par le "Comité des 300". (128)

Le Dr John Coleman publie dans son livre "Conspirators Hierarchy : The Committee of 300" (La hiérarchie des conspirateurs : Le Comité des 300) les noms de 290 organisations, 125 banques ainsi que ceux de 341 membres actuels ou anciens du Comité des 300.

Les Bilderberger

Cette organisation secrète fut créée en mai 1954 à l'hôtel de Bilderberg à Oosterbeek, en Hollande, par le prince Bernard des Pays-Bas. Elle est composée de 120 magnats de la haute finance d'Europe de l'Ouest, des Etats-Unis et du Canada. Ses buts principaux, formulés par le prince Bernard, sont l'institution d'un gouvernement mondial d'ici l'an 2000 et d'une armée globale sous le couvert de l'O.N.U. On l'appelle aussi le "gouvernement invisible".

Un comité consultatif composé d'une commission de direction (avec 24 Européens et 15 Américains) décide des personnes à inviter à leurs rencontres. Johannes Rothkranz écrit que seuls sont invités ceux qui ont fait preuve d'une indéfectible loyauté envers les Rockefeller et les Rothschild.

Quelques-uns des représentants INTERNATIONAUX les plus importants sont ou ont été les suivants :

Agnelli, Giovanni	patron de Fiat
Brzezinski, Zbigniew	président de la Commission trilatérale et agent Rockefeller le plus important
Bush, George	ex-chef de la CIA, ex-chef du CFR, ex-président des Etats-Unis, membre du Comité des 300
Carrington, lord (GB)	membre du Comité des 300, des Kissinger Associates, ex-président de l'OTAN
Dulles, Allen	ex-chef de la CIA
Clinton, Bill	président des Etats-Uni, membre du CFR et de la Commission trilatérale
Ford, Henry II.	
Gonzales, Felipe	secrétaire général du parti socialiste espagnol et, plus tard, Premier ministre
Jankowitsch, Peter (A)	
Kennedy, David	
Kissinger, Henry	aussi membre de la loge P2 italienne
Luns, Joseph	ex-secrétaire général de l'OTAN
Lord Roll of Ipsden	ex-président du S.G. Warburg Group Plc.
Mc Namara, Robert	Banque mondiale
Martens, Wilfried (B)	
Reuther, Walter P.	
Rockefeller, David	
Rockefeller, John D.	
Rockefeller, Nelson	
Rothschild, baron Edmund de	
Tindemanns, Jan	ex-premier ministre de la Belgique
Warburg, Eric D.	
Warburg, Siegmund	
Wörner, Manfred	OTAN

Ci-dessous un texte montrant le mépris du gouvernement pour l'opinion publique.

2.2 "Politique Militaire et Loi Martiale" (9):

je cite, du livre "On Watch", de l'Amiral à la retraite Elmo Zumwalt, les faits suivants:

"Kissinger déclara: Je crois que le peuple américain n'a pas la volonté de faire ~~les~~ choses nécessaires pour atteindre à la parité, et pour maintenir la supériorité maritime. Je crois que nous devons ~~essayer~~ d'obtenir le meilleur arrangement possible dans nos négociations avant que les Etats-Unis et l'U.R.S.S. ne perçoivent ces changements, et l'équilibre qui en découle. Lorsque ces perceptions seront inclues dans les accords, et que les deux parties sauront que les Etats-Unis sont inférieurs, nous devrons avoir obtenu le meilleur arrangement que nous pouvons. A ce moment-là, les américains ne seront pas heureux que j'aie opté pour un arrangement en second, mais il sera trop tard.

"Zumwalt demanda: Dans ce cas, pourquoi ne pas l'amener devant le peuple américain? Ils n'accepteront pas la décision de devenir les deuxièmes meilleurs pendant que nous sommes dans une position de Revenu National Brut double de celui de l'U.R.S.S.

Kissinger répondit: C'est une question de jugement. Je juge que nous n'aurons pas leur appui,et si nous le demandions, et dévoilions ce fait_comme nous devrions le faire_, alors nous perdrions notre force de négociation avec les Soviets.

Zumwalt demanda donc: Mais n'est-ce pas là l'ultime immoralité dans notre démocratie: De prendre une décision d'aussi grande importance pour le peuple, mais sans le consulter?

"Kissinger répondit alors: Probablement, mais je doute qu'il y ait un million de personnes qui pourraient même comprendre l'issue de la question.

"Et Zumwalt de répondre: Même si cette présomption est correcte, ce million peut tout de même influencer l'opinion de la majorité. Je crois qu'il est de mon devoir d'opter pour l'autre choix.

"Et Kissinger de conclure: Vous devriez prendre garde que vos paroles ne provoquent une réduction du budget de la Marine".

Nous voyons donc quel (quelle) est l'opinion du Département d'Etat par rapport au peuple. Un autre fait:le 30 décembre 1975, la Garde Nationale de Californie annonça, dans un communiqué de presse_dont je possède une copie_, que les bataillons de la Police Militaire de l'Etat étaient organisés, et entraînés pour faire face immédiatement à pratiquement tout désastre civil ou provoqué de main d'homme, aussi bien que pour assister les forces policières dans des situations d'urgence, ou même pour achever aussi bien leur mission d'assistance policière ou militaire. Je demandai à quatre des accusés dans cette affaire quels étaient leurs ordres de mission; ils ne le dévoilèrent pas, bien qu'ils aient affirmé que cette information était du domaine public.

L'entraînement en question pour la Garde Nationale de Californie couvre des sujets tels que: avoir à faire avec des individus et/ou des populations civiles, avec les procédures de détention, avec les droits des citoyens, et autres affaires similaires. Et vous savez aussi bien que moi que lorsque la Loi Martiale est décrétée, ou encore les Règlements Martiaux ,les citoyens n'ont pas de droits, tout simplement parce que la Constitution est suspendue. Même les uniformes des Gardes Nationaux qui participent à ce programme sont différents des uniformes réguliers. Les porte-paroles de l'Armée refusent de dévoiler plus d'information quant à ces uniformes. Mais les unités para-militaires du Département du Sheriff de Los Angeles, qui eux aussi ont reçu cet entraînement, ont des uniformes de combat teints en noir.

Document relatif au contrôle des Individus.

ORIGINAL CONFIDENTIAL

Information est encore plus troublante lorsque comparée avec d'autres provenant de diverses sources. Par exemple, cette information datant de mai 1993, et traitant de l'Organisation Mondiale de la Santé faisant partie des Nations-Unies, à savoir que celle-ci rapportait, dernièrement,'que la violence devrait être traitée avec les mêmes contrôles réguliers que ceux existant dans le cas de maladie.' La solution alors proposée par l'Organisme serait 'Un contrôle des armes', et pour commencer, il devrait y avoir, toujours selon cette dernière,'une taxe fédérale américaine de 100% sur la vente de toutes les armes et munitions,'] (16)

[D'autre part, et ayant trait à une information exclusive obtenue d'une Agence de Presse Internationale qui sera publiée, en entier, dans notre Numéro Spécial de Septembre 1993, à savoir: "Les Recherches et mises au point Technologiques, entre la CIA et les Forces Armées Américaines, pour le Contrôle des Individus". Cette information-Enquête non encore disponible aux Etats-Unis, se rapporte aux nouvelles technologies déjà expérimentées avec succès sur des êtres humains, à leur insu,et partant de l'introduction de mini-appareils (récepteurs-émetteurs) dans des zones précises du cerveau humain, jusqu'à l'injection de "Cristaux liquides", par voies intraveineuses, sous forme de supposés vaccins selon certains, ou d'injections directes preuves à l'appui ; cristaux ayant des propriétés électro-magnétiques pouvant être contrôlés à partir de satellites, et déjà programmés pour se loger d'eux-mêmes dans les zones de la mémoire du cerveau humain. Il ne s'agit plus ici de science-fiction; au contraire, c'est maintenant une réalité militaire ayant déjà été plus d'une fois expérimentée avec succès, sur des êtres humains sans leur consentement, dans des hôpitaux et des Centres médicaux reconnus dans différents pays. Il est dès lors possible de se rendre compte de l'évolution très rapide de la technologie militaire dans ce domaine depuis les années 75'; de même que les dernières découvertes dans le domaine Militaro-médical nous permettent de prendre consicence: la continuité des intérêts et des efforts du "Complexe Militaro-Industriel Américain" dans cette volonté d'en arriver à contrôler directement les individus! Mais contrôler les populations en fonction de quoi au juste?] (17)

En mai 1975, la "**L.E.A.A. Newsletter**" décrivit les fonctions de l'une de ses organisations: "L'Institut National de l'Application de la Loi et de la Justice Criminelle". Cette organisation subventionne quelque chose connu sous le nom de: "Centre de Liquidation des Nations-Unies", à Rome, en Italie. La fonction de cette organisation, entre autres choses, est l'échange de l'information des Systèmes de Justice Criminelle avec l'U.R.S.S. Et il va sans dire que nous n'avons rien à apprendre de l'U.R.S.S. en matière de Justice Criminelle. Ces projets inconcevables furent payés par nos taxes.

Les noms de Code pour ces projets sont: "**Garden Plot**" et "**Cable Splicer**" . **Garden Plot** est le programme de "Contrôle de la Population". **Cable Splicer** est le programme pour une Prise du Pouvoir méthodique des Gouvernements locaux et d'Etat par le Gouvernement Fédéral.

Une enquête fut complétée en novembre 1975 par quatre sources différentes: La publication conservatrice "American Challence", le gauchiste "New Times"; la Fondation finançant les subventions pour le Journalisme d'Enquête; et, Don Wood du fiable "Ozark Sunbeam". Celle-ci concerne la Création potentielle d'un Etat Policier à travers l'utilisation du Pentagone et de son"Dossier d'Intelligence Informatisée" logée dans le sous-sol du Pentagone , portant sur des milliers de citoyens fichés par la Garde Nationale, par les Départements de Police locaux et des Etats, la **L.E.A.A.**, les Forces Militaires "en civil", les Escouades Tactiques et le Département de la Justice.

Le Brigadier Général J.L. Julenic, Officier militaire sénior du Bureau de la Garde Nationale du Pentagone a admis: "Je ne connais aucun Etat qui n'ait pas conduit ce genre d'exercices au cours de la dernière année".

Aujourd'hui, le "Manuel de Cable Splicer" est composé de six cartables à anneaux qui ne représentent que les grandes lignes de l'imminente prise de force et de destruction de notre Constitution. La 6e Armée a utilisé le terme "**Cable Splicer**" pour identifier l'Opération, mais le nom de l'Opération n'a pas été révélé pour les autres régions militaires situées ailleurs à l'intérieur des Etats-Unis.

A la page 4, paragraphe 10 de l'Information Publique, les instructions précisent:

"Comme moyen d'empêcher la publicité négative ou ses effets psychologiques trompeurs quant à la coordination, la planification et la tenue de ces exercices tous les participants militaires impliqués s'acquitteront de leurs tâches, en tenue civile lorsque les exercices seront conduits dans des établissements policiers. Dans l'éventualité que des questions soient soulevées concernant ces exercices, la réponse devra être limitée à identifier l'exercice comme faisant partie d'un effort continu de liaison militaro-policière, et comme étant, aussi, la continuation de la coordination établie l'an dernier. En page 6, les bases du Guide de Sécurité sont expliquées de manière que si qui que ce soit pose des questions, alors l'information divulguée se limitera, à la base, au fait que les exercices sont faits dans l' "Intérêt National" (la Sécurité).

[Ici, à la lecture de ce court exposé, l'on peut se rendre compte, par la manière que l'information serait rapporté par un journaliste, de la ligne de démarcation départageant le vrai "Journalisme d'Enquête" du simple rapporteur de nouvelles; ce dernier étant monnaie courante dans nos Média d'information.] (18)

Dans les festivités célébrant le succès des exercices complétés, le Général Stanly R. Larsen, Commandant de la Sixième Armée déclara: "Le défi le plus sérieux auquel nous faisons tous face est celui de se défaire de nos responsabilités légitimes. Car pour une portion significative de la société en général, celle-ci va probablement nous considérer avec méfiance, et remettre du même coup en question, voire même défier notre autorité sur la base même de notre profession. Nous devons être prêts à affronter une partie de ce défi: une portion proportionnellement dangereuse de notre société qui, en réalité, pourrait bien devenir l'ennemi intérieur.

Le Manuel renferme des instructions sur l'Opération d'Etablissements de Détention., le traitement et l'identification des prisonniers--ceci comprenant la fouille, le transport, l'alimentation, le logement et le traitement d'une classe spéciale de personnes appelées "détenus". Le Plan implique aussi, d'une manière spécifique, une proposition concernant la confiscation des armes et munitions appartenant en propre à des propriétaires.

ARTICLE PROVENANT DU MONDE DU 11/12 NOVEMBRE 95
MONTRANT COMMENT LE CONFLIT A ETE PREVU PLUSIEURS MOIS À L'AVANCE

La Belgique et l'ONU ont été averties de la préparation d'un génocide au Rwanda

Les autorités belges et le siège des Nations unies à New York étaient avertis de la préparation du génocide au Rwanda trois mois avant que celui-ci ne se produise, a confirmé le ministre belge de la Défense, Jean-Pol Poncelet. Interpellé jeudi par le sénateur Patrick Hostekint, à la suite de déclarations faites par le général canadien Roméo Dallaire, l'ancien commandant en chef des Casques bleus de l'ONU au Rwanda, le ministre a reconnu qu'en janvier 1994, un officier belge des renseignements avait prévenu des préparatifs en cours d'un massacre organisé de la minorité tutsie. Selon Jean-Pol Poncelet, ces mises en garde ont été communiquées au cabinet du ministre de la Défense de son prédécesseur, Léo Delcroix, limogé depuis dans le contexte d'un scandale immobilier. Ce dernier, pas plus que son collègue des Affaires étrangères, à l'époque Willy Claes, n'a pris de dispositions particulières. Egalement destinataire des rapports de renseignements, le siège de l'ONU n'a pas jugé nécessaire de modifier le mandat – strictement défensif – des 2.700 Casques bleus de l'ONU déployés au Rwanda. Or, dès le lendemain de l'attentat contre l'avion du président Habyarimana, dix Casques bleus belges, chargés de la protection du Premier ministre Agathe Uwilingiyimana, ont été faits prisonniers et assassinés par des soldats de l'armée rwandaise.

STEPHEN SMITH

ARTICLE TIRÉ DU MAGAZINE "LE MONDE DIPLOMATIQUE"
"GÉNOCIDE PLANIFIÉ AU RWANDA" - FÉVRIER 1996

Colette Braeckman

...au Rwanda, en cent jours, plus de cinq cent mille hommes, femmes et enfants ont été massacrés, moins en fonction de leur appartenance politique ou à cause de leur participation à la guerre que par le fait qu'ils avaient été définis comme Tutsis, ou comme opposants hutus alliés des premiers. On a pu ainsi exterminer sans remords les victimes, qualifiées d'*« ennemi intérieur »*...

Par l'étendue des tueries, par la préparation minutieuse qui les a précédées, par l'intention surtout, c'est bien d'un génocide qu'il s'est agi à nouveau dans ce siècle, après celui des Arméniens, des juifs d'Europe et des Cambodgiens. Et cela cinquante ans après que l'humanité eut juré « plus jamais ça », serment solennel qui a fondé la plupart des institutions mises en place après la seconde guerre mondiale.

Le génocide du Rwanda représente, non seulement en Afrique centrale mais pour l'ensemble de l'humanité, l'un des événements marquants de cette fin de siècle. Tellement marquant, par sa nature et son ampleur, que déjà tout est fait pour le banaliser, pour brouiller les pistes de réflexion, entretenir la confusion des esprits, afin sans doute d'occulter les responsabilités, nationales et étrangères (2)... C'est pourquoi il importe de rappeler une fois encore – et à la veille de l'anniversaire de l'attentat contre l'avion du président Juvénal Habyarimana qui, le 6 avril 1994, mit le feu aux poudres – à quel point la tragédie était annoncée, préparée...

...Les rapports des organisations de défense des droits de l'homme auraient dû alerter l'opinion internationale : à chaque fois, ils relevaient le caractère planifié, volontariste, des violences, le fait qu'elles aient été organisées par les autorités communales, qui encadraient la population, la conditionnaient pendant des semaines, prêtaient parfois des véhicules aux équipes de tueurs... Mais la France qualifia de *« rumeurs »* les rapports qui s'accumulaient et intensifia sa présence militaire aux côtés de l'armée rwandaise, tandis que la Belgique ne suspendit jamais sa coopération...

...“GÉNOCIDE PLANIFIÉ AU RWANDA”

Colette Braeckman

...La préparation du crime fut également matérielle : des armes, venues d'Egypte, d'Afrique du Sud mais aussi de France, furent massivement importées et distribuées à la population. En décembre 1993, alors que les « casques bleus » belges et bangladais censés garantir l'application des accords d'Arusha s'installaient dans Kigali, et que le contingent militaire français ayant pris part aux opérations de guerre quittait le pays, les maires distribuaient les armes dans les communes, atteignant jusqu'aux plus petits niveaux de pouvoir, les secteurs et les cellules. En même temps, des jeunes gens, chômeurs, délinquants, paysans sans terre et sans avenir dans ce pays surpeuplé, étaient recrutés pour devenir des miliciens, les *Interhamwe*.

Ils devaient recevoir, en plus d'une paire de chaussures neuves, une formation militaire très particulière : dans la région du Mutara comme sur les collines voisines de Kigali, on leur apprit à « travailler » avec la machette, à frapper systématiquement le front, la nuque, à sectionner les articulations... Depuis le début de 1994, les « casques bleus », dont la mission se limitait au « maintien de la paix », assistaient impuissants à l'armement de la population, et les observateurs à Kigali savaient qu'une « machine à tuer » s'était mise en place. Ils n'ignoraient que le jour et l'heure.

Le 6 avril 1994, alors que le président Habyarimana rentrait de Tanzanie, son sort était scellé. Pressé par les Occidentaux, qui menaçaient de couper tous les crédits, il avait finalement accepté d'ouvrir son gouvernement au Front patriotique et se préparait à lire, dès son retour, un discours consacrant le partage du pouvoir. Cette reddition apparaissait comme une trahison aux yeux des ultras du régime, et d'abord de sa propre belle-famille. Le texte de ce discours disparut dans les débris de l'avion Falcon offert naguère par la coopération française, touché de plein fouet par deux missiles tirés par des mains d'expert, vraisemblablement blanches, et françaises selon certaines sources.

L'attentat marqua le début du génocide. Avec une efficacité effroyable, la « machine à tuer » se mit en mouvement. Dès les premières minutes qui suivirent le crash de l'avion, les équipes de tueurs dressèrent les barrages dans Kigali, triant Hutus et Tutsis d'après les papiers d'identité, liquidant systématiquement les seconds. Dix « casques bleus » belges commis à la défense du premier ministre, Mme Agathe Uwilingyimana, furent massacrés. Dans les jours qui suivirent, alors que la presse internationale parlait de « massacres interethniques », définissant la tragédie comme une explosion de « haines tribales » séculaires, le Rwanda était ravagé par un plan d'extermination systématique de l'*« ennemi intérieur »*.

« Coupez les pieds des enfants pour qu'ils marchent toute leur vie sur les genoux. » « Tuez les filles pour qu'il n'y ait pas de générations futures. » « Les fosses communes ne sont pas encore pleines. » « Tuez-les, ne commettons pas la même erreur qu'en 1959 », répétait *« Radio Machette »*, la Radio des Mille Collines. La machine était bien programmée, et sous contrôle : dans la ville de Butare, trois semaines après le début des massacres à Kigali, le calme régnait encore, car le préfet, membre de l'opposition, multipliait les réunions de pacification. Il fut destitué, puis tué et remplacé par un « dur » du régime, tandis que l'armée, suivie par les miliciens, dépêchait des renforts dans la ville universitaire. Un discours du président par intérim, Théodore Sindikubwabo, devait déclencher les opérations, et les équipes de Médecins sans frontières assistèrent au massacre de leurs malades tutsis sur leurs lits d'hôpital...

DOSSIER

Ils sont le nouveau pouvoir mondial

Les 50 hommes les plus influents de la planète

Ils sont intellectuels ou mafieux, chercheurs ou banquiers, créateurs ou espions. Ils sont rarement sur le devant de la scène et pourtant, dans le village mondial, leurs décisions ou leurs conseils influencent la vie de milliards d'êtres humains. Aux Etats-Unis, en Europe mais aussi au Japon ou en Chine, « le Nouvel Observateur » a sélectionné 50 chefs de file de ces nouvelles Internationales de la finance, des médias, de la mode, de la recherche ou du crime

PAR LAURENT JOFFRIN

Dans le désordre de cette fin de siècle, ils ont le vrai pouvoir. Ils ne sont pas chefs d'Etat, chefs militaires ou capitaines d'industrie. Ils ne contrôlent pas ces grandes organisations pyramidales et hiérarchiques qui sont la marque de l'ordre ancien. Sur le théâtre de la puissance, ils n'occupent pas le devant de la scène. Non, dans ce monde de réseaux, de vitesse et d'interdépendance, ils sont les maîtres de l'influence. Ce sont les sorciers du village global.

A la recherche des formes de domination de l'après-mur de Berlin, nous avons découvert les nouvelles internationales. Celles de l'informatique et des médias, de la drogue et de la mode, de la finance et du crime, de la création et de la science. Non que les Etats-nations soient dépassés. Bien au contraire, leur énergie, leur virulence ne cessent de faire la trame d'une actualité plus violente que jamais. L'exigence d'identité, qui croît à mesure de la mondialisation, interdit l'émergence d'une « société-monde » uniforme et régulée.

Mais on ne peut plus, comme le fait la tradition classique de l'étude des relations internationales, ramener à l'affrontement des Etats l'explication de l'histoire moderne. Dans un excellent livre, « le Bouleversement du monde » (1), Marisol Touraine, professeur à l'Institut d'Etudes politiques, montre bien que l'interdépendance, d'abord économique, est devenue culturelle et politique en raison de la montée en puissance des réseaux médiatiques mondiaux, de la circulation des idées et de l'ascension des mafias en tous genres. Kennedy et Khrouchtchev menaient le monde, leur affrontement dramatique a fait l'histoire des années 60. Clinton et Eltsine doivent à chaque minute compter avec les maîtres de la finance mondiale, avec les mafias de la drogue ou du crime, avec les metteurs en scène de l'internationale de l'image, du câble ou du satellite. On a déjà jaugé l'influence des « networks » américains sur les guerres des années 90, en Irak ou en Somalie. Qui dira le poids des trafiquants d'armes et de drogue dans le conflit de Tchétchénie ou même dans celui de la Bosnie ? Qui montrera comment les familles chinoises ou bien les clans japonais orientent une part de l'investissement international ? Qui mesurera le pouvoir d'un Murdoch, l'homme de Londres, de New York et de Hongkong, sur les opinions anglo-saxonne et asiatique à la fois, lui qui possède le « Times », le « New York Post » et le principal satellite de télévision de l'Est du monde ? Qui a analysé l'influence financière des grandes caisses de retraite américaines ou japonaises, désormais gérées comme des multinationales de la spéculation ? Qui a vraiment réalisé que les intuitions d'un couturier français, les dessins d'un architecte canadien, les raisonnements d'un éditorialiste londonien modèlent le corps des Occidentaux, changent leurs villes ou modifient leur état d'esprit ?

C'est pourquoi nous avons sélectionné cinquante représentants de cette nouvelle élite mondiale qui vit à l'ère des réseaux en temps réel, des portables bientôt multimédias et des stratégies transnationales. Choix en partie arbitraire, évidemment, destiné à faire comprendre, à dévoiler plus qu'à recenser systématiquement. Certains hommes manquent, certains quartiers de ce « village global » sont laissés de côté. Mais tous nos « nouveaux puissants » ont un point commun : leurs décisions influencent, sans qu'ils le sachent, la vie de millions de Terriens.

Dans quel sens ? C'est là que l'inquiétude naît. On le constatera à la lecture : par leur itinéraire, par leurs fonctions, de par leur réussite même, les « cinquante » se retrouvent sur un dangereux consensus. Qu'ils soient chinois ou australiens, qu'ils soient informaticiens ou mafieux, une idée minimale les réunit : le monde ira bien mieux si les Etats les laissent libres d'agir. La confiance aveugle dans l'individu ou la communauté de base, la méfiance à l'égard de la règle collective, le refus des régulations et des contrôles, voilà le bréviaire commun de l'élite mondiale de demain. A quelques exceptions près, avec des variantes autoritaires et communautaires en Asie, tous sacrifient au même culte néolibéral qui a dominé les années 80. Bill Gates récuse toute intervention publique dans le développement des autoroutes de la communication ; Ted Turner combat toute régulation européenne des chaînes par satellite ; les grands banquiers se hérissent dès qu'on envisage d'ordonner un tant soit peu les flux financiers de la planète. Liberté pour l'argent et les images : c'est la loi et les prophètes. L'ennui, c'est que cette liberté-là n'est pas forcément celle du citoyen. Lui a besoin de la loi. Lui a besoin de l'Etat.

Encore plus dangereux : sans protection, vivant dans l'angoisse de la mobilité et de la menace venue d'ailleurs, les habitants du village global se réfugient dans les vieilles forteresses de l'identité, de la religion et de l'autorité. En Asie, le Singapourien Lee Yuan Kew prône avec succès une solution capitaliste et autoritaire. Ailleurs, ce sont des réponses violentes, nationalistes ou intégristes, qui expriment la dissidence moderne. Les élites de l'après-guerre, chargées de reconstruire un monde ravagé par le second conflit mondial, confrontées à la menace totalitaire, dédiées à l'économie de marché mais soutenues par une foi dans la volonté collective des sociétés libres, ont jeté les bases de quarante ans d'un développement économique et social inédit. Les élites de l'après-Mur se jettent sans réfléchir dans le chaos du marché sans garde-fous et du déchirement ethnique et religieux. Saisissant contraste. Ce refus d'inventer une nouvelle éthique démocratique pour le prochain siècle augure du pire. *L.J.*

(1) « Le Bouleversement du monde », par Marisol Touraine, Seuil, 450 pages, 140 F.

Un dossier dirigé par Vincent Jauvert et réalisé par Marjorie Alessandrini, Emmanuelle Bosc, Philippe Boulet-Gercourt, Philippe Carteron, Anne Crignon, Sara Daniel, Jean-Gabriel Fredet, Martine Gilson, Fabien Gruhier, Jean-Claude Guillebaud, Claude-François Jullien, Mickaël Koutouzis, Olivier Péretié, Michel de Pracontal, Mariella Righini, Airy Routier, Claude Soula, Alain Wallon.

DOSSIER "LA DOMINATION DU MONDE PAR LES ILLUMINATIS"
DE HUGO NHART (RÉDACTEUR EN CHEF)

CET ARTICLE NE REPRESENTE QU'UNE PARTIE DU DOSSIER COMPLET (30 PAGES ENVIRON) PRESENTE PAR HUGO NHART DANS "ETRANGETES ET MYSTERES N° 4 DE SEPTEMBRE 1992".

Qui sont les illuminatis ? Comment cette société secrète prit-elle naissance ?

L'ordre des illuminatis fut fondé le 1er Mai 1776 par le Docteur Adam Weishaupt, professeur en droit canonique catholique à l'université d'Ingolstad. Weishaupt, juif de naissance converti plus tard au catholicisme, rompit avec l'ordre jésuite auquel il appartenait en tant que prêtre, puis il fonda sa propre organisation. Après son interdiction en 1784 par le prince-électeur de Bavière, l'ordre des illuminatis fut officiellement dissous en 1786 et passa alors dans la clandestinité.

...Bien que les révolutions et les guerres soient très utiles aux banquiers internationaux pour gagner ou étendre leur contrôle sur des gouvernements, les clés véritables pour un tel contrôle résident toujours dans les finances, car, « un bailleur de fonds est en mesure d'exiger d'un gouvernement les privilèges d'un monopole ». Des gouvernements en quête d'argent accordent des monopoles dans le système bancaire de l'état, dans le domaine des ressources naturelles.

...La clé de la puissance des illuminatis réside dans le contrôle du capital. Nous ne citerons pour exemple de cette manière d'agir que deux évènements historiques ; l'établissement du communisme en Russie et la mise au pouvoir de Hitler.

...Celui qui veut voiler ses intentions et travailler à l'arrière-plan a besoin à cette fin d'assemblées particulières, puisque celles qui ont un caractère officiel ne sont évidemment pas adéquates à des règlements secrets et à des accords spéciaux. Ainsi, dès le début, les illuminatis s'occupèrent de créer de nouvelles assemblées parallèlement à celles existant déjà. Néanmoins ces organisations ne sont pas restées à tel point secrètes que l'on ignorerait encore tout à leur sujet.

...ALYKHAN, chef du gouvernement albanais en exil dit ceci : « Une poignée de personnes de la Commission Trilatérale et du Council on Foreign Relations (CFR) prennent toutes les décisions d'importance mondiale. C'est un club très privé, puissant, qui domine tous les gouvernements du monde entier. Ils sont tous de connivence. Qu'on le veuille ou non, on doit faire ce qu'ils veulent. Ils disent combattre le communisme, mais en même temps, ils sympathisent avec lui ».

L'Organisation des Nations Unies, instrument des illuminatis ?

Qui s'étonne encore que l'ONU aussi soit une œuvre des illuminatis et qu'elle se trouve fermement entre leurs mains ? Au moins 47 membres du CFR étaient parmi les délégués américains lors de la fondation de l'ONU à San Francisco en 1945...

...Appartiennent à l'ONU le « Fonds Monétaire International » (FMI) et la « Banque Mondiale ».

Voyons maintenant le plan de construction codé du NOM (Nouvel Ordre Mondial).

En observant le verso d'un billet de 1 dollar nous y trouvons sur le côté gauche le symbole franc-maçonnique de la pyramide. Le sommet de la pyramide forme un triangle où se trouve l'œil du « Grand Architecte du Monde » ou « Grand Initié ». Au sommet de la pyramide nous lisons les deux mots « Annuit coeptis » ce qui veut dire à peu près : « Notre entreprise est couronnée de succès ». Sous la pyramide se trouvent les mots « Novus Ordo Seclorum ». Ces mots expliquent la nature de l'entreprise : la création d'un Nouvel Ordre Mondial. Les chiffres MDCCLXXVI figurant au bas de la pyramide se rapportent à la fondation de l'ordre des illuminatis le 1er mai 1776.

Selon de nombreux auteurs la pyramide montre la structure des illuminatis. Suivant cette attribution, l'œil placé au sommet de la pyramide est l'œil de Lucifer. Directement en dessous se trouve le niveau RT qui est interprété par Rothschild ou Rockefeller, qui peut cependant également représenter les deux. Puis vient le conseil des 13 qui est recruté dans les rangs placé en dessous, le Conseil des 33. Celui-ci présente à son tour une sélection restreinte issue des top-francs-maçons du « club des 500 », également appelé par certains auteurs « Club des 300 ». En dessous se trouve la grande loge, B'nai B'rith, un ordre élitaire qui n'admet comme membres que des juifs. Avec la loge du Grand Orient se termine la moitié supérieure de la pyramide et avec elle le groupe des illuminatis. A la partie inférieure de la pyramide du dollar sont associés tous les francs-maçons.

THE UNITED STATES OF AMERICA
ONE
ONE
ANNUIT COEPTIS
IN GOD WE TRUST
ONE
ONE
ONE
ONE DOLLAR

- DOSSIER -

"LA MAFIA"

DIFFERENTS ARTICLES PROVENANT DU NOUVEL OBSERVATEUR
DOSSIER "LES JEUNES ET LA DROGUE" DU 18-24 JUILLET 96

De nouvelles drogues, souvent plus dangereuses encore que les autres, arrivent sous le déguisement du bonheur sans risque, « clean », « fun », « tonic ».

« Le grand changement par rapport aux décennies précédentes, explique le sociologue Patrick Mignon, est l'introduction au cœur même de la toxicomanie du thème de la santé. La drogue n'est plus vécue comme une transgression, elle s'insère dans la vie favorise l'équilibre. On fume un joint comme on prenait l'apéritif. Et en prime, on pense que cela va vous éviter la malédiction sociale que représente l'alcool. Avec l'ectasy, on veut danser plus longtemps, réaliser toutes les potentialités de son corps. »

...Pourtant, depuis quelque temps on ne trouve plus d'herbe sur le port de Sainte-Maxime, et Philippe est obligé d'aller s'approvisionner dans les cités avoisinantes, comme celle de La Gabelle à Saint-Raphaël. Un dealer nous explique les raisons de la pénurie : entre mai et septembre, les trafiquants coupent l'approvisionnement en hasch et en herbe pour que les gens passent à autre chose : *« Si on est en panne de hasch,* reconnaît Pedro, *la drogue la plus facile à se procurer c'est l'héroïne. On en trouve tout le temps. »* Philippe, lui, a souvent sauté le pas. Or sur la Croisette le gramme d'héro est à 1 000 francs alors qu'une barrette de hasch (qui permet de rouler 5 joints) est à 100 francs... Une métodhe commerciale comme une autre.

La cocaïne... *« Quand on commence le matin, on ne s'arrête plus »...*

Comme à toutes les mères de Sainte-Maxime, un nom lui donne des cauchemars, le Rohypnol, grand ravageur des cités, mais qui a connu aussi son heure de gloire comme somnifère dans les beaux quartiers : *« Si vous vous mettez au lit en position fœtale avec un bon livre, le dodo est garanti,* explique le docteur William Lowenstein, de l'hôpital Laennec. *Mais si vous luttez contre l'endormissement, vous entrez bientôt dans un état qui s'apparente au "pilotage automatique", vous devenez une sorte de zombi qui perd totalement contrôle. »* En Belgique, on a baptisé Rochmen (du nom du laboratoire Roch qui commercialise le Rohypnol) ces jeunes délinquants qui se transforment en personnages tarantinesques pour faire des casses dont ils ont du mal à se souvenir le lendemain devant le juge.

... *« Quand du fait de son prix modique les dealers la revendront dans les cités comme un produit de substitution au cannabis, que deviendra "l'innoncence" petite pilule d'amour ? Une vraie drogue qui accompagnera malheureusement les trips solitaires et désespérés ? »*

...Rien ne semble pouvoir arrêter ce marché très lucratif en pleine expansion... Pas même les incohérences de la politique française de répression.

Frédéric Bélier-Garcia et Sara Daniel

En 1995, les saisies d'amphétamines ont augmenté de 238 % et celles de LSD de 56 % dans le seul département du Nord. Dans le même temps, plus de 113 000 cachets d'ectasy étaient confisqués par les douaniers.

... le speed, qui casse tous les prix, il y en a pour toutes les bourses.

... « atrophie cérébrale provoquée par des lésions dans le lobe frontal ». Une sorte d'Alzheimer fulgurant, qui a renvoyé Arnadu à un âge mental de 3 ou 4 ans. « *Handicapé à vie, il tue ses journées devant des dessins animés qu'il observe d'un œil hagard et qu'il a oubliés dès qu'on éteint le poste.* »

Frédéric Bélier-Garcia

Entre 1880 et 1920 la drogue passe de l'emprise des médecins magiciens au contrôle des industries. Un seul exemple : c'est le laboratoire Bayer qui commercialise les dérivés de la morphine... pendant la guerre de 14, ... l'Etat prend le monopole de la drogue.

... l'Allemagne est la championne des drogues de synthèse...

Plus tard, les amphétamines ou l'Adolphine, autre nom de la méthadone, furent utilisées à l'origine par Hitler pour doper les pilotes de la Wehrmacht.

Dans tous les temps de crise, la drogue devient un moyen de financement des conflits. C'est pourquoi des régions comme l'ex-Yougoslavie, la Bosnie, la Croatie, la Macédoine, la Serbie reviennent à une production qui avait fait leur richesse dans les années 20. Aujourd'hui, en Afrique, on cultive partout le cannabis. En Asie centrale et en Extrême-Orient, c'est l'opium. La drogue reflète et amplifie les désordres mondiaux. Et ce facteur d'entropie ne se cantonne pas aux zones de guerre puisque le trafic est destiné en priorité aux villes occidentales. Avec la multiplication des conflits régionaux depuis le démantèlement de l'empire soviétique, il ne cesse d'augmenter.

Propos recueillis par Sara Daniel

Maroc : l'or vert du Rif

Trois millions de personnes vivent de l'argent sale généré par le trafic du cannabis dans le nord du pays

Avec ses 65 000 hectares d'« herbe » ou de kif qui produisent 1 500 tonnes de haschisch, le Maroc est un des premiers producteurs de cannabis au monde ; 80% du haschisch saisi en Europe vient de la région du Rif. A titre de comparaison, le Liban, premier producteur mondial jusqu'à la fin des années 80, produisait 995 tonnes de hasch dans la plaine de la Bekaa. Le prix du haschisch est fonction de sa teneur en principe actif ou THC (tétrahydrocannabinol). Les fleurs sommitales du plant de cannabis fournissent le « spoutnik », la première qualité, dont la teneur en THC est jusqu'à 10 fois plus importante que celle des basses feuilles qui ne servent qu'à faire le kif. Les trafiquants paient au producteur moins de 1 000 francs le kilo pour la moins bonne qualité, 6 000 francs pour la meilleure. Elles seront revendues de 20 000 à 80 000 francs le kilo en Europe. Aucun produit agricole ou industriel ne procure une telle plus-value. Première source de devises du pays, le chiffre d'affaires du trafic représente 2 milliards de dollars, soit près de 10% du PNB marocain.

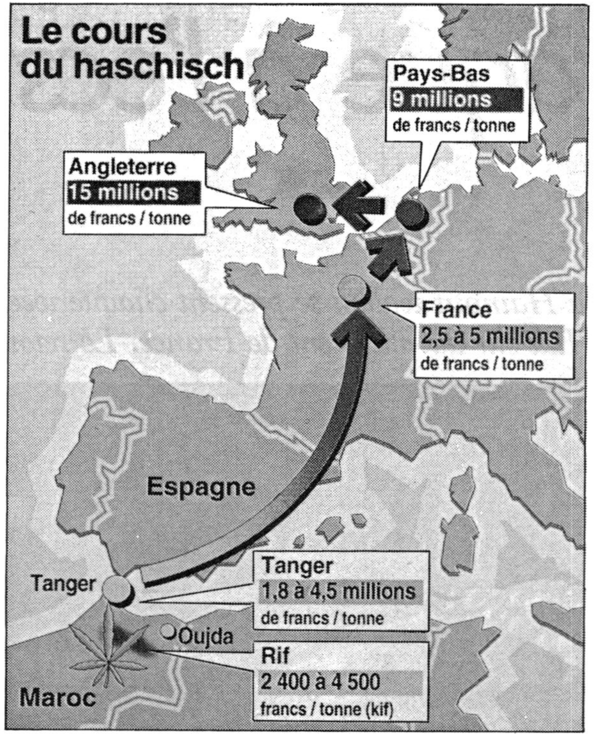

Près de 3 millions de personnes vivent directement ou indirectement de l'argent sale généré par le trafic dans le nord du Maroc.

Contrairement à ce que l'on croit, c'est par la France que transite le haschisch consommé aux Pays-Bas (7 335 kilos saisis en 1995). Plus de 80% du hasch français vient du Maroc via l'Espagne. Comme l'explique Michel Koutouzis, de l'Observatoire géopolitique des Drogues (OGD) [1] : *« Après la crise franco-hollandaise, le gouvernement a réalisé – tous les chiffres le montraient – que l'on était en train de se battre contre quelque chose qui n'existait pas. On ne pouvait pas accuser les Néerlandais d'introduire du hasch en France : il venait du Maroc à 97%. On a donc décidé de se concentrer sur l'héroïne. »*

Le gouvernement français n'a jamais voulu demander au Maroc d'éradiquer ses cultures de kif. Il veut protéger ses liens privilégiés avec le roi (on a récemment accusé des membres du gouvernement marocain de se livrer au trafic de cannabis) et ne pas l'affaiblir face à la montée de l'intégrisme. Une attitude qui met notre pays en porte-à-faux vis-à-vis de la Communauté européenne. La France s'oppose à la dépénalisation du hasch, mais veut protéger le Maroc. Le reste de la Communauté est en train de dépénaliser le hasch, mais a une politique dure envers le Maroc qu'elle accuse d'être devenu, aussi, une plaque tournante pour le trafic des drogues dures. *S. D*

(1) Voir l'entretien avec Michel Koutouzis, page 14.

Chaste pilule

« Pilule d'amour », a-t-on dit. La rumeur était trompeuse : l'ecstasy n'a rien d'aphrodisiaque au sens strict ou « érectile » du terme. Bien au contraire, elle entraînerait chez les mâles – qu'ils soient rongeurs ou humains – une grande difficulté à atteindre un état d'érection convenable. L'ecsta susciterait même le tant redouté *« shrinking penis »* (« pénis rétréci »). Quant à l'orgasme, il devient aussi inutile qu'impossible. C'est pourquoi certains des zélateurs anglo-saxons de cette pilule affirment que la « rave » serait le parangon de la fête *« sexually correct »*. L'ecstasy porterait à leur acmé les qualités féminines de l'homme. La sexualité bestiale, type homme des cavernes, laisse la place à la sensualité, au *« snake slithering »* (l'amour « serpentant », « ondulant »). Et l'ecstasy constitue finalement un ersatz idéal pour ceux qui veulent se cantonner au *« safe sex »*.

Pour moins de 250 F, on peut mutiler, terroriser et affamer un village tout entier...

"...d'une finition irréprochable, la mine anti-personnel VS 69 est remarquable d'efficacité : son déclenchement, possible par pression (mine enterrée) ou par traction (fil piège), provoque l'éjection du projectile à environ 1 mètre du sol puis son explosion. Les 2000 éclats métalliques contenus dans ce projectile sont ainsi projetés en nappe horizontale dans un rayon de 50 mètres autour de la mine. Les très graves blessures causées par ce modèle se situent essentiellement au niveau du ventre et des organes génitaux pour les adultes, du visage pour les enfants..."

■ EXTRAITS DE CATALOGUES DE FABRICANTS DE MINES.

• Origine : Italie • Modèle : VS 69 • Type : bondissante • Rayon d'efficacité : 50 mètres • Durée de vie : + de 40 ans • Quantité en place : 20 millions.

ARTICLE PROVENANT DE "L'EVENEMENT DU JEUDI"
"ENQUETE LES MAITRES DU MONDE" DU 29 AOUT AU 4 SEPT. 1996

RUSSIE

Les parrains vodka-cola

Moscou va-t-elle devenir la capitale de la Ve Internationale, celle des mafias ? Profitant de l'anarchie, fille de la décrépitude communiste, les organisations criminelles ont investi, dès les années Gorbatchev, tous les secteurs de pointe du capitalisme russe naissant. Les parrains locaux ont pris le contrôle de nombreuses banques, d'entreprises d'import-export, de la plupart des sociétés de transport, de l'immobilier, d'une partie des médias et, bien entendu, de tous les trafics plus ou moins illicites. Domaines où, du coup, les métiers sont à risque : une quinzaine de banquiers ont été assassinés ces dernières années. Les ramifications de cette pieuvre remontent haut dans l'appareil d'Etat : des collaborateurs d'Eltsine sont mouillés dans plusieurs affaires. L'armée aussi : la poursuite du conflit tchétchène pourrait s'expliquer ainsi. Un vice-Premier ministre, Youri Iarov, avait affirmé que plus de 40 % des entreprises étaient gangrenées ! Au capitalisme d'Etat a succédé la « mafia d'Etat ». Pis, cette mafia a très vite étendu ses ramifications à l'étranger. Notamment aux Etats-Unis, où les parrains vodka-cola ont déjà fait parler la poudre. Les banquiers mafieux profitent des paradis fiscaux occidentaux et des failles des législations pour blanchir d'importantes quantités d'argent sale. C'est un véritable système de vases communicants mondial qui s'est mis en place. « Nous avons beaucoup d'indications confirmant que les criminels de l'ex-Union soviétique collaborent avec la mafia italienne pour se donner une stature économique », a récemment déclaré le major général Giovanni Verdicchio, un des responsables de la guardia di finanza. « Parallèlement, ajoutait-il, la mafia italienne blanchit de l'argent avec la Russie pour reconstituer ses finances après les revers qu'elle a subis. » Ces gens-là n'ont pas besoin d'aller à Davos pour faire de la mondialisation ! **B.P.**

Femme de mafioso :

« Les femmes sont le véhicule des valeurs de la Mafia, elles élèvent leurs enfants dans le culte du père et de Cosa Nostra », confirme à son tour le juge Teresa Principato. *« Salvatore Riina est un bon mari et un bon père »*, serine, imperturbable, Ninetta.

Croit-elle ce qu'elle dit ? Ou bien vit-elle dans le monde schizophrénique typique des mafiosi : tous les méfaits sont permis en dehors de la « famille » ; les règles morales ne valent qu'à l'intérieur du strict noyau familial ? Car chacun sait que pour les « hommes d'honneur », les homicides, les crimes, les vols, les illégalités commis en dehors de Cosa Nostra n'existent pas. On peut donc parfaitement être un assassin et un bon père.

Marcelle Padovani

Portraits de famille

Julio ANDREOTTI
7 fois Premier Ministre.
L'un des instruments
de choix de la Mafia.

Bruno CONTRADA
Chef du contre-espionnage
de Palerme.
"La Taupe" qui renseignait
la Mafia des dangers.

Mgr MARCINKUS
Garde du corps papal
responsable des affaires
financières du Vatican.

SINDONA
Jugé pour homicide.
Tué par la Mafia, en prison :
cyanure dans une tasse de café.

Gaspare SCELBA
Ministre de l'intérieur.
Va assassiner Guiliano
avec l'aide de la Mafia.

"Un repenti"

Pasquale CUNTRERA
Vit à Caracas et
organise les échanges
héroïne contre cocaïne.

Tommaso BUSCETTA
Mis en exil par la Mafia.
Une grande partie
de sa famille assassinée.
Révèle qui est qui et permet
plus de 300 arrestations.

Les *"Anti-Mafia"* :

Giovanni FALCONE
Le juge anti-Mafia.
Une bombe
aura raison de lui.

Général
DALLA-CHIESA
Dérange la Mafia.
Il est assassiné.

- DOSSIER -

L'OPUS DEI

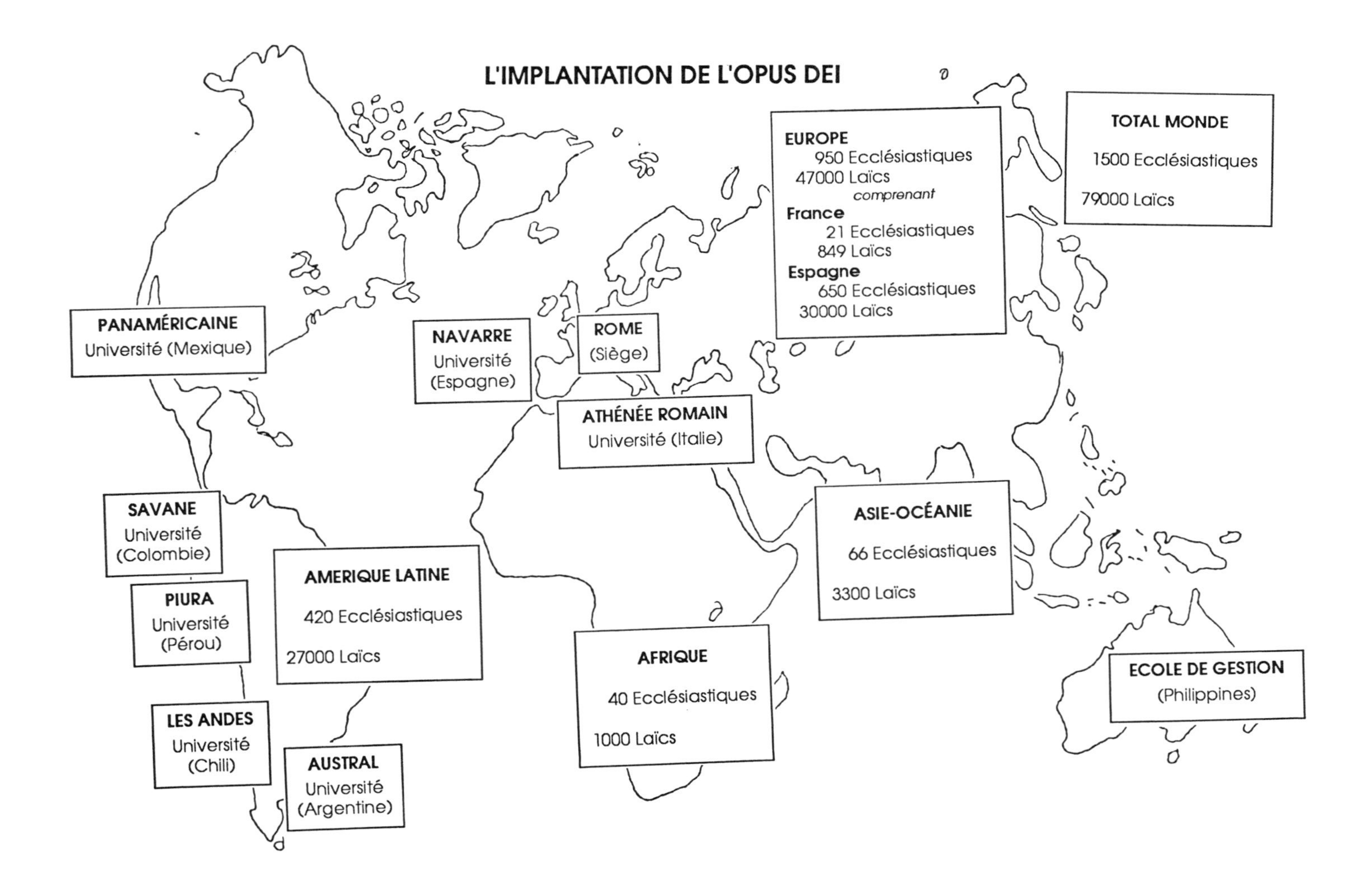
L'IMPLANTATION DE L'OPUS DEI
TOTAL MONDE
1500 Ecclésiastiques
79000 Laïcs
EUROPE
950 Ecclésiastiques
47000 Laïcs
comprenant
France
21 Ecclésiastiques
849 Laïcs
Espagne
650 Ecclésiastiques
30000 Laïcs
PANAMÉRICAINE
Université (Mexique)
NAVARRE
Université
(Espagne)
ROME
(Siège)
ATHÉNÉE ROMAIN
Université (Italie)
ASIE-OCÉANIE
66 Ecclésiastiques
3300 Laïcs
SAVANE
Université
(Colombie)
PIURA
Université
(Pérou)
AMERIQUE LATINE
420 Ecclésiastiques
27000 Laïcs
AFRIQUE
40 Ecclésiastiques
1000 Laïcs
ECOLE DE GESTION
(Philippines)
LES ANDES
Université
(Chili)
AUSTRAL
Université
(Argentine)

ARTICLE TIRÉ DU MAGAZINE "LA PRESSE"
DOSSIER "OPUS DEI : LA VOCATION DU POUVOIR" DU 22.04.95
Joaquin Prieto

...C'est ainsi que Concepcion Aldea, directrice du centre Azahara (Grenade) est allée trouver la Garde civile le 26 juillet 1989, accompagnée d'un prêtre et d'une autre femme, pour dénoncer un couple sévillan accusé d'avoir « détenu illégalement » leur fille Montserrat, âgée de 20 ans. En réalité cette dernière avait décidé de retourner chez elle au terme de deux années... dans les centres de l'Oeuvre. La jeune fille a dû convaincre les gardes qu'elle avait rejoint ses parents de son propre gré. Pour avoir agi de la sorte, elle a reçu plusieurs avertissements de « condamnation éternelle », et n'a pu retrouver la sérénité qu'après une visite au cardinal Jubany, lequel l'a assurée qu'elle pourrait retrouver le chemin de Dieu sans emprunter celui de l'Opus Dei...

ARTICLE PROVENANT DU MAGAZINE "INFO MATIN"
DU 7 DÉCEMBRE 1994

A « L'Extrêm droite » de Dieu ?

De fait, l'Opus Dei n'est pas un mouvement catholique comme les autres. Politiquement, le soutien de son fondateur au franquisme et la place qu'il a occupée aux côtés de certains dictateurs latino-américains, comme Pinochet au Chili, pourraient faire classer ce « parti spirituel » à l'extrême droite de Dieu.

Le nombre relativement modeste de ses membres, en particulier en France, s'explique en partie par la sévérité de son sacerdoce. Un engagement complet à l'Œuvre de Dieu exige un renoncement quasi total à toute vie familiale dans le cas des membres numéraires (1). Prêtres ou laïcs, ils vivent en célibataire et en communauté dans une des résidences de l'Opus : « Nous mettons tout en commun pour vivre la pauvreté. Les numéraires donnent pratiquement tout ce qu'ils ont », explique François Gondrand. Cet ex-chargé de mission à la Direction de l'information du CNPF, dirige le Bureau d'information de la prélature de l'Opus Dei en France. Célibataire, il vit dans une des résidences de l'Opus, rue Dufrénoy, dans le XVIe arrondissement.

Si l'Œuvre se dit pauvre, elle n'en gère pas moins, en France, un parc immobilier important : résidences d'étudiants, centres féminins, clubs culturels, maison d'édition (Editions du Laurier), école hôtelière, et même un très actif Centre international de rencontres au château de Couvrelles, dans l'Aisne.

Subtilité toute opusienne, aucune de ces structures n'appartient en propre à l'Opus. Elles sont administrées par des sociétés amies (Sopec, Saidec, Sépal, SCI Domaliane, etc.), « des sociétés qui ont les couleurs de l'Opus Dei, mais qui ne sont pas de l'Opus Dei. Elles sont dirigées par des membres qui sont propriétaires de fait du patrimoinde du mouvement. Ainsi, en cas de problème, la responsabilité directe de l'Œuvre n'est pas engagée », remarque Thierry Oberlé, dans son livre *l'Opus Dei, Dieu ou César ?* (chez J.-C. Lattès).

...Christian Terras, le directeur de Golias, estime entre 20 et 30 millions de dollars les sommes brassées chaque année par l'Opus à travers ses nombreuses ramifications, sans compter son patrimoine immobilier. Cette puissance occulte au sein de l'Eglise n'est pas sans inquiéter les catholiques progressistes qui s'interrogent sur les méthodes très spéciales de l'organisation. « Jean-Paul II a entrepris un politique de nominations au sein de l'Eglise, qui vise à confier systèmatiquement les évêchés des grandes capitales, les directions de médias et d'instituts financiers à des membres de l'Opus. Tant et si bien que l'Œuvre manipulerait aujourd'hui un budget annuel d'environ 30 millions de dollars », soutient Thierry Meyssan du Réseau Voltaire.

« Les membres sollicitent des sommes déterminées, souvent élevées. Ma famille a été sollicitée de la sorte. Des (opusiens) surnuméraires m'ont confié qu'ils sont assaillis de demandes. Ça va jusqu'aux reproches véhéments de ne pas donner assez. » Des témoignages de jeunes qui se sont « jetés par la fenêtre » (c'est quitter l'organisation dans le jargon opusien), le père Jacques Trouslard en a recueilli des dizaines. Délégué à la documentation sur les sectes, à l'évêché de Soissons, il dénonce depuis des années les dérives sectaires de l'Opus : « J'ai amassé des preuves qui montrent que l'Opus fonctionne comme une secte au sein de l'Eglise catholique », affirme-t-il.

Julien de la Vega

1) - L'opus comprend les membres de plein droit, les surnuméraires, membres mariés qui vivent dans leur famille, ainsi que les associés, les collaborateurs ou coopérateurs, simples sympathisants qui participent à l'édification de l'Œuvre par des dons et la prière.

ARTICLE PROVENANT DU MAGAZINE "INFO MATIN"
DU 7 DÉCEMBRE 1994

"UNE SECTE EN POLITIQUE", RÉQUISITOIRE "VOLTAIRIEN" OU CHASSE AUX SORCIÈRES ?

Dans *l'Opus Dei, une secte en politique*, qui devrait être publié en janvier, le Réseau Voltaire pour la liberté d'expression, qui compte parmi ses fondateurs Radical (ex-MRG), les Verts, le syndicat de la magistrature, des membres d'Avocats de France, etc., entre en guerre contre l'Opus Dei. Pour Thierry Meysan, président du Réseau Voltaire, « l'Opus n'est pas un simple mouvement religieux, mais une secte qui a infiltré depuis sa création les milieux économiques et politiques et fonctionne comme un réseau d'influence dangereux. L'arrivée de l'Opus dans le jeu politique français, c'est l'arrivée d'un intégrisme catholique que nous dénonçons. »

Dans ce document, le Réseau Voltaire épingle l'infiltration par l'Opus des instances européennes. Dès l'origine, Robert Schuman et Alcide De Gasperi, les « pères » de l'Europe, étaient des membres influents de l'Opus, affirment les « voltairiens ». Sans doute, bien que toutes sortes d'influences aient joué en faveur d'une organisation d'une Europe largement dominée, de fait, par les démo-chrétiens. Toujours selon les « voltairiens », l'Œuvre aurait piloté jusqu'en 1992 « un groupe d'industriels connus sous le nom d'ERT (European Table Round)... » Or l'ERT n'a rien de très clandestine. Comptant le patron de Fiat et celui de Krupp, ce lobby est présidé par Jérôme Monod, de la Lyonnaise des eaux, c'est-à-dire par un protestant... Que Jacques Delors « entretienne d'excellentes relations avec ce groupe d'industriels chrétiens » n'a rien d'étonnant. C'est l'homme [de l'Europe] qui a vu le patron [chrétien] qui a vu l'Opus Dei... Le Réseau Voltaire est plus net quand il assure que le successeur de Delors, le Belge Jacques Santer, est un fervent admirateur de l'Œuvre du Padre.

L'Opus a pu compter, à son arrivée en France, sur le soutien d'Edmont Giscard d'Estaing (père), ainsi que celui d'Antoine Pinay et de Paul Baudoin, ministre des Affaires étrangères de Pétain... Le Réseau Voltaire rappelle le voisinage de l'Opus avec de grands patrons français qui le soutiennent, notamment à travers l'Acut (Association de culture universitaire et technique). Et Thierry Meyssan souligne les affinités de Raymond Barre avec l'Opus (Barre témoigna, en effet, au procès de béatification du fondateur de l'Opus), ainsi que d'une trentaine de parlementaires français.

Les commandements du Padre

Extraits de la bible de l'Opus Dei, « Camino », de Jose Maria Escriva de Balaguer

121. Il faut entreprendre une croisade de virilité et de pureté qui contrecarre et anéantisse le travail destructeur de ceux qui tiennent l'homme pour une bête. Et cette croisade est votre œuvre.

130. Ote-moi, Jésus, cette gangue de pourriture sensuelle qui recouvre mon cœur.

150. Tout se passe comme si ton Ange disait : « Ton cœur est plein d'affections humaines ! », puis ajoutait : « C'est cela que tu veux que garde ton ange gardien. »

157. Ne renverse pas l'ordre des choses : si Dieu lui-même se donne à toi, à quoi bon cet attachement aux créatures ?

175. Renonce à toi-même. Il est si beau d'être victime !

208. Bénie soit la douleur ! Aimée soit la douleur ! Sanctifiée soit la douleur !

343. Travaille. Lorsque tu connaîtras les soucis d'un travail professionnel, la vie de ton âme s'améliorera et tu seras plus viril.

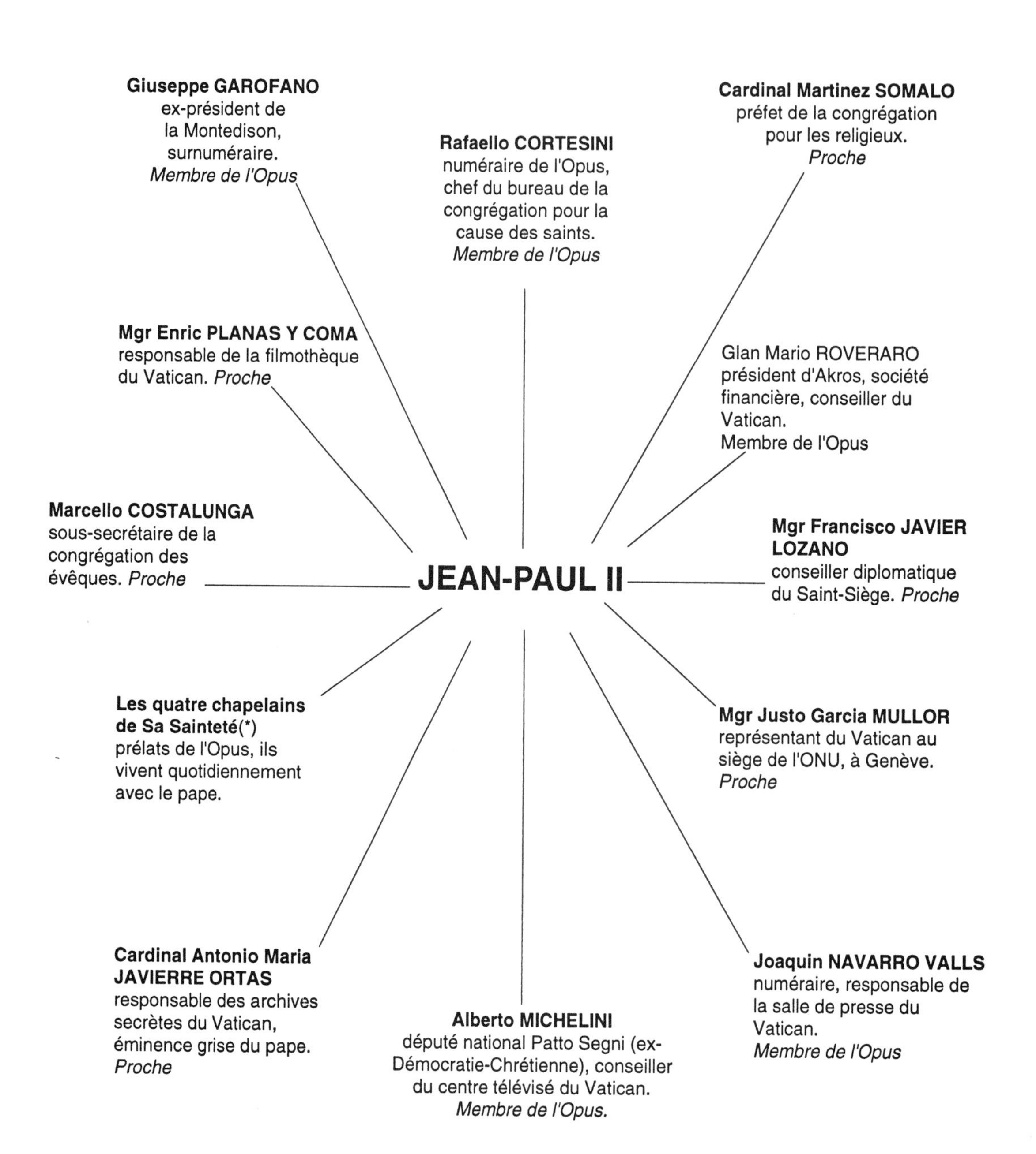

* : Joachin Alonso Pacheco, Klaus Martin Becker, Fernando Ocariz, Fellipe Bacarozza Rodriguez.

("Le Nouvel Observateur")

ARTICLE PROVENANT DU MAGAZINE "LE NOUVEL OBSERVATEUR"
DOSSIER "J'OFFRE TOUT À DIEU" N° 1547
Jean-Laurent Del-Bono

...On y entre généralement très jeune : entre 18 et 20 ans. Le point commun des opusiens : ils aiment l'anonymat. Ils acceptent de parler, mais masqués. Comme Olivier Z, étudiant de 22 ans, jeune homme un peu vieille France, tendance scout. *« J'étudie la physique à l'Ecole normale, j'aimerais être chercheur. J'ai connu l'Œuvre à 16 ans. Par hasard,* raconte Olivier. *Un an plus tard, je devenais numéraire, ce qui signifie que j'ai fait vœu de célibat et que je vis dans une résidence de l'Œuvre. Je prie beaucoup et je me mortifie aussi. C'est une tradition de l'Eglise. Je porte parfois le cilice. Je n'en parle jamais : trop intime ! »* Olivier Z habite au centre Garnelles, à Paris, avec vingt autres « numéraires » qui sont devenus sa nouvelle famille. Il assure l'entretien du foyer. Son salaire est de 7 000 francs par mois. Après avoir payé sa pension, il ne garde que 1 000 francs pour son argent de poche. Le reste ? Il le verse à l'Œuvre...

ARTICLE PROVENANT DU JOURNAL "LE MONDE DIPLOMATIQUE"

SEPTEMBRE 1995

François Normand

...En France, le succès de l'Opus est plus mitigé. Malgré les sympathies de plusieurs hommes politiques, l'Œuvre n'a jamais réussi à trouver un parti à sa dévotion, même s'il existe de nombreux centres et associations qui lui sont liés (13).

Mais la nouvelle stratégie de l'Œuvre est d'infiltrer les organisations internationales, comme les Nations unies, l'Unesco ou l'OCDE. Le Parlement européen à Strasbourg et la Commission à Bruxelles sont ses lieux de prédilection, et le nouveau président de la Commission, M. Jacques Santer, un ami...

...A Louvain, en revanche, la bataille menée par l'Opus fut perdue grâce à la ténacité du vice-recteur, le Père Gabriel Ringlet. Il a refusé de renouveler le bail de deux résidences pour étudiants ouvertes sur le campus par l'Opus, en interdisant à celui-ci de distribuer sa littérature aux étudiants aussi longtemps qu'il triche sur son identité. Cette décision a été prise à l'unanimité par le conseil d'administration de l'université. *« L'Opus ne vise que l'élite de la société*, explique le Père Ringlet, *ce qui est inacceptable pour notre université. Je ne peux pas voir ma foi là-dedans. La quête de la perfection a quelque chose de très orgueilleux et de malsain. Je ne peux accepter une religion qui lave plus blanc que blanc... la couleur des sépulcres ! Car, au bout du chemin, on trouve toujours l'exclusion, le racisme. En ces temps de montée de l'extrême droite, on ne se prémunit peut-être pas assez contre les dictatures spirituelles. »*...

---

(13) Une trentaine, à Paris, Lyon, Marseille, Aix-en-Provence, Toulouse, Grenoble et Strasbourg, une école technique hôtelière, ainsi qu'un centre international de rencontres au Château de Couvrelles, une maison d'édition (Editions du Laurier) et un dédale de sociétés anonymes qui servent d'écrans aux activités de l'Œuvre (Saidec, Socofina, Acut, Sofico, Trifep...)

- DOSSIER -

LA SANTE

Dans le livre du Dr Guylaine Lanctôt "**La Mafia médicale**"
voici un extrait sur le Flexner report et la déclaration d'Alma Ata
qui souligne comment la Santé, notre santé est passée progressivement
dans les mains des financiers :

Flexner Report

De 1910 à 1925, grâce aux règles établies dans le **Flexner Report**, *l'A.M.A. (American Medical Association)* et *l'A.A.M.C. (Association of American Medical Colleges)* éliminèrent la grande majorité des soignants médicaux, notamment les femmes et les Noirs. Au nom de la science et de la qualité de la pratique de la médecine, on exigea des écoles de médecine qu'elles adoptent les recommandations du Flexner Report. C'est le régime de terreur médicale. Elles devaient prendre le virage "scientifique" imposé par ce dernier et financé par la Fondation Rockefeller sous peine de disparition. Or, à cette époque, on comptait deux fois plus de praticiens de médecines douces que de médecine orthodoxe (allopathique). L'homéopathie, la phytothérapie, les médecines manipulatives tels l'ostéopathie et le massage étaient alors enseignés. La réforme médicale les éradiqua. Elle fit passer le nombre d'écoles de médecine de 650 à 50 et le nombre d'élèves de 7500 à 2500. La santé tomba entre les mains de l'élite riche masculine. La médecine devint un outil au service de la finance : les fondations Carnegie et Rockefeller avaient financé le Flexner Report et son application. **La finance prenait le contrôle de la médecine** qu'elle exploite depuis lors avec les résultats désastreux que nous connaissons. Ses artisans sont les médecins qui jouissent de privilèges tels que pouvoir, argent et prestige. C'est un monopole nord-américain. Toute tentative de pratique des médecines douce est sévèrement réprimée. Au nom du bien-être de la population, on accuse des praticiens d'hérésie, de charlatanisme et on multiplie harcèlement, intimidation, perte de droit de pratique, poursuites en justice... L'Inquisition est toujours vivante et la chasse aux sorcières continue... en 1994 !

"Nous aurons un Gouvernement Mondial, que cela plaise ou non. La seule question est de savoir s'il sera créé par conquête ou par consentement."

Paul Warburg,
banquier, au Sénat
américain
le 17/2/50.
Membre du CFR et
du groupe Bilderberg.

Déclaration d'Alma Ata

En 1977, la **Déclaration d'Alma Ata** donnait à l'O.M.S. (Organisation Mondiale de la Santé) le moyen d'étendre le "Flexner Report" non seulement à l'Amérique du Nord, mais au monde entier. Au nom de la santé et du bien-être des populations de la Terre, et du droit à la "santé pour tous", on établit des critères et règles internationaux de pratique de la santé. On déplaça ainsi le contrôle de la santé des mains des gouvernements nationaux vers le gouvernement mondial. On déposséda les pays de leur souveraineté en matière médicale et on la transféra à un gouvernement mondial, non élu, dont le ministère de la santé est l'O.M.S. Mais qui donc est à la tête de l'O.M.S. ?

Nul autre que nos financiers mondiaux, les responsables du Flexner Report et de son application. Et que signifie le droit à la santé ? Il signifie **le droit à la médicalisation**. C'est la porte grande ouverte à la médecine de maladie **mondiale**, qu'on le veuille ou non. Ainsi, on impose les vaccinations et les médicaments à toutes les populations du globe, puis on s'étonne de leur extinction par le sida...

Cette **manœuvre mondiale de la part des financiers mondiaux** est très subtile. Alors que la population de nos pays, prenant conscience de la mainmise de l'industrie sur la santé et de la corruption gouvernementale, fait pression pour que les choses changent, des "sauveteurs" se présentent : les autorités mondiales. Au nom du bien-être de toutes les populations, elles prennent le contrôle de la santé mondiale... Nous n'y voyons que du feu et les approuvons. Qui oserait douter des bonnes intentions de l'O.M.S. ? Mais nous sommes-nous déjà demandé qui contrôlait l'O.M.S. ? Là est la question ; et aussi la réponse : l'O.N.U., l'organisme des financiers mondiaux. De plus en plus subtilement, les autorités médicales et politiques nous dépossèdent de nos biens et de nos droits et nous mutilent. Elles établissent les règles et font les lois qui nous exploitent. C'est le régime de terreur médicale. C'est un monopole mondial. Gare à qui s'y oppose.

En 1978, les Etats membres de la sainte O.M.S. se sont réunis à Alma Ata pour définir une politique commune de soins de santé primaires dans laquelle les populations seraient démocratiquement impliquées afin de faire face d'elles-mêmes à leurs problèmes de santé. Or, comme nous l'avons vu plus haut, de la **Déclaration d'Alma Ata** découla la mondialisation des recommandations du rapport Flexner, rapport qui imposait la médecine "scientifique" (médecine de maladie) comme seule valable et éliminait toutes les autres pratiques de la médecine (médecine de santé). Ce rapport avait été financé par la Fondation Carnegie et son application, par la Fondation Rockefeller. Les cocommanditaires de la conférence d'Alma Ata étaient les suivants : la Fondation Rockefeller, la Banque Mondiale, l'Unicef. Les financiers sponsorisant pour la santé du monde, quelle magnanimité !

MALLEUS MALEFICARUM Europe Moyen-Age	FLEXNER REPORT U.S.A. - Canada 1910	ALMA ATA Monde 1977

Une vaste campagne de vaccination a eu lieu il y a quelques années au Québec. Les enfants ont été vaccinés d'une façon massive et obligatoire, campagne soutenue par les médias qui accentuaient la peur.

Je dois ici une explication concernant les documents dont vous allez prendre connaissance. Ils sont pour une partie tirés de l'excellent dossier du courageux journaliste québecois, ***Serge Monast*** et dont ***Hugo Nhart*** (Fondateur et rédacteur en chef des Revues "ETRANGETES et MYSTERES" ainsi que "REVELATIONS") s'est fait le porte parole. Il a accompli un travail colossal et je cite bien sûr son travail en fin d'ouvrage. J'aurais cependant aimé le rencontrer ou au moins pouvoir le contacter mais apparemment ses écrits font qu'il n'est plus visible. En me rendant moi-même au Québec pour une série de conférences et d'émissions concernant nos ouvrages j'ai eu plusieurs points contacts le connaissant mais malgré leur bonne volonté jointe à la mienne, les informations étaient du style : il a été assassiné ou encore il se cache dans tel ou tel pays. Je le remercie donc pour cette abondante documentation et espère qu'il ne m'en voudra pas de l'utiliser à des fins qui se veulent identiques aux siennes.

Les vaccinations eurent lieu d'abord pour éradiquer une épidémie de méningite puis une épidémie concernant l'hépatite B :

La Presse
Nouvelles générales Samedi 22 février 1992 A5

Tous les enfants devraient être vaccinés contre l'hépatite B
AFP
GENÈVE

TYPE: Nouvelle
LONGUEUR: Court

° L'Organisation mondiale de la santé (OMS) recommande la vaccination des enfants contre l'hépatite B, une affection qui provoque des cirrhoses et cancers primaires du foie et qui fait de un à deux millions de morts par an, indique l'organisme.

Selon l'OMS, l'hépatite B est l'une des maladies les plus répandues de l'humanité, son virus touchant environ deux milliards de personnes. Sur ce nombre, 350 millions sont des porteurs chroniquement infectés et courent un risque élevé de mourir.

Contre cette infection virale, qui se rencontre surtout en Afrique et en Extrême-Orient et se transmet par les muqueuses et les plaies cutanées, l'OMS demande aux pays, où la prévalence des porteurs du virus atteint 8 p. cent, de vacciner tous les enfants d'ici à 1995.

Le vaccin contre l'hépatite B - «premier vaccin contre un important cancer humain» - existe depuis 1982 et a montré sa grande efficacité, protégeant par exemple 95 p. cent des enfants de Gambie.

La maladie, surtout transmise dans les pays en voie de développement d'enfant à enfant ou de mère à enfant lors de l'accouchement, concerne dans les pays industrialisés les adultes dans certaines professions et par certains comportements, notamment sexuels.

Pour ces pays, l'OMS recommande la vaccination pour les travailleurs de la santé, les homosexuels et les toxicomanes, ainsi que pour les voyageurs partant pour des séjours de longue durée.

Le traitement des malades est difficile et onéreux, estime l'OMS. Selon elle, 20 à 25 p. cent des patients peuvent être guéris par l'interféron.

NUMÉRO DE DOCUMENT: 920222LA016

Éditorial
Monde
Annonces classées

Québec lance une campagne de vaccination contre l'hépatite B

DENIS LESSARD
du bureau de La Presse

QUÉBEC

Plus de 100 000 élèves de quatrième année seront vaccinés contre l'hépatite B, cet automne, une opération annoncée hier par le gouvernement du Québec qui compte ainsi enrayer une maladie «sérieuse, fréquente et coûteuse».

Au cours d'une conférence de presse, hier, la ministre de la Santé, Mme Lucienne Robillard, a précisé que le coût de l'opération «universelle» serait d'environ deux millions pour le gouvernement. Le vaccin nécessite deux relances, une un mois après la première injection et une dernière six mois plus tard.

Les parents pourront toutefois refuser que leur enfant soit vacciné.

L'hépatite B, bien qu'elle soit moins fréquente en Amérique du Nord qu'en Asie, reste une maladie sévère qui fauche environ 15 à 20 personnes par année au Québec. Environ 6 000 personnes sont infectées chaque année au Québec par ce virus sournois — la moitié des personnes infectées ne présentent aucun symptôme tout en étant contagieuses. Un quart des 6 000 personnes infectées n'auront pour tout symptôme que des maux de tête et de brèves montées de fièvre.

Dans certains cas, toutefois, la maladie est foudroyante et s'attaque au foie de façon irréversible. Il n'existe pas de traitement curatif pour cette maladie, mais les vaccins développés en laboratoire depuis dix ans sont efficaces à 90 p. cent. En outre, comme il s'agit d'un vaccin fabriqué en laboratoire, les risques de donner la maladie en administrant le vaccin sont inexistants — à la différence des anciens vaccins développés à même les produits sanguins de patients atteints par l'hépatite.

Québec a décidé d'intervenir tôt, sur des étudiants de 10 ans environ, parce que ses études ont démontré qu'il est plus efficace de toucher cette strate d'âge. La maladie se manifeste souvent vers 15 ans, pour les filles, et cinq ans plus tard pour les garçons.

Depuis deux ans, la Colombie-Britanique a un programme similaire de vaccination universelle pour les enfants de sixième année. L'Ontario s'apprête à faire de même.

Ce type d'intervention est appuyé par l'Organisation mondiale de la santé.

Les journaux québécois sont nombreux à soutenir la campagne de vaccination.

Mardi 7 juin 1994

Le Nouvelliste

Tous les enfants de 10 ans vaccinés contre l'hépatite B

Katia Gagnon
Québec (PC)

Après avoir étudié la question pendant près de deux ans, le ministère de la Santé a officialisé hier un programme de vaccination universel et gratuit contre l'hépatite B qui sera administré aux élèves de 4e année dans toutes les écoles du Québec, dès l'automne prochain.

La ministre de la Santé Lucienne Robillard a insisté d'emblée sur le fait que la situation présente ne s'apparentait aucunement à une épidemie, bien que la situation soit «sérieuse et coûteuse». L'hépatite B affecte 6000 nouvelles personnes chaque année et 150 de ces porteurs du virus décéderont des suites «immédiates ou lointaines» de la maladie.

Précisons qu'il n'existe pas de traitement pour guérir les malades atteints de l'hépatite B, une maladie qui se contracte à peu près par les mêmes voies que le virus du sida, mais qui reste nettement plus contagieuse: «100 fois plus que le VIH», a précisé le Dr Bernard Duval, qui accompagnait la ministre en conférence de presse.

Le ministère de la Santé connaît ces chiffres depuis longtemps. «Ce n'est pas une maladie qu'on a découvert hier», a admis la ministre. Mais il a fallu attendre la conclusion d'une nuée d'études, selon Mme Robillard, avant de mettre sur pied un programme de vaccination. «Il faut prendre toutes les précautions nécessaires», a-t-elle ajouté.

Le Dr Duval a également précisé que le vaccin totalement sûr qu'on allait injecter à 100 000 enfants d'ici la fin de l'année 1995 doit être administré en trois temps. «On a totalement abandonné l'ancienne façon de fabriquer qui consistait à fabriquer du sérum à partir des personnes malades», des patients qui étaient souvent aussi porteurs du virus du sida.

Les experts du ministère de la Santé ont fixé à 10 ans l'âge idéal pour recevoir le vaccin - même si la clientèle à risque se situe beaucoup plus au niveau secondaire - suite à une étude réalisée au centre-ville de Québec qui démontrait que le taux d'acceptation du vaccin était de 5 pour cent plus élevé au primaire qu'au secondaire.

Le prix du vaccin a baissé de moitié dans les dernières années - 45 $ l'unité pour l'État - «à cause d'une très forte demande», a indiqué le Dr Duval. Les enfants de plus de 10 ans qui désireront se faire administrer le vaccin pourront l'obtenir pour un coût oscillant entre 40 et 60 $.

Plusieurs experts médicaux estiment que la propagation de l'hépatite B pourrait se révéler aussi importante, dans les prochaines années, que celle du virus du sida. Environ 600 nouveaux porteurs de l'hépatite B sont affectés de façon chronique par la maladie, souvent sans ressentir aucun symptôme.●

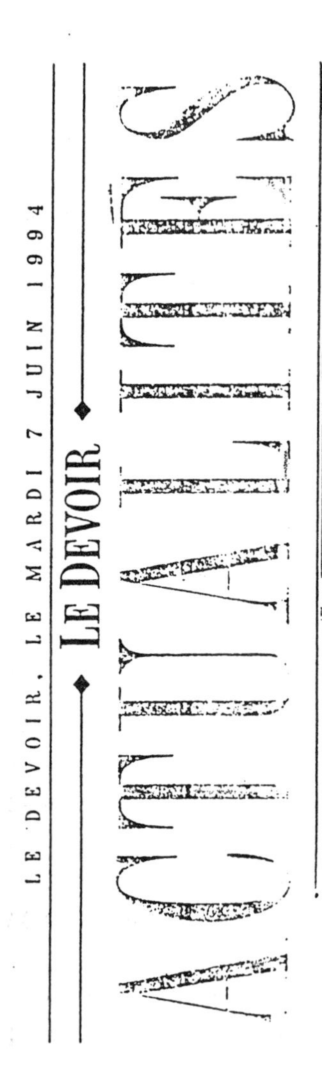
LE DEVOIR, LE MARDI 7 JUIN 1994

LE DEVOIR

ACTUALITÉS

Programme de vaccination universel contre l'hépatite B

KATIA GAGNON
PRESSE CANADIENNE

Québec — Après avoir étudié la question pendant près de deux ans, le ministère de la Santé a officialisé hier un programme de vaccination universel et gratuit contre l'hépatite B qui sera administré aux élèves de 4e année dans toutes les écoles du Québec, dès l'automne prochain.

La ministre de la Santé, Lucienne Robillard a insisté d'emblée sur le fait que la situation présente ne s'apparentait aucunement à une épidemie, bien que la sitation soit «sérieuse et coûteuse». L'hépatite B affecte 6000 nouvelles personnes chaque année et 150 de ces porteurs du virus décéderont des suites «immédiates ou lointaines» de la maladie.

Précisons qu'il n'existe pas de traitement pour guérir les malades atteints de l'hépatite B, une maladie qui se contracte à peu près par les mêmes voies que le virus du sida, mais qui reste nettement plus contagieuse: «100 fois plus que le VIH», a précisé le Dr Bernard Duval, qui accompagnait la ministre en conférence de presse.

Le ministère de la Santé connaît ces chiffres depuis longtemps. «Ce n'est pas une maladie qu'on a découverte hier», a admis la ministre. Mais il a fallu attendre la conclusion d'une nuée d'études, selon Mme Robillard, avant de mettre sur pied un programme de vaccination. «Il faut prendre toutes les précautions nécessaires», a-t-elle ajouté. Le Dr Duval a également précisé que le vaccin totalement sûr qu'on allait injecter à 100 000 enfants d'ici la fin de l'année 1995 doit être administré en trois temps. «On a totalement abandonné l'ancienne façon de fabriquer qui consistait à fabriquer du sérum à partir des personnes malades», des patients qui étaient souvent aussi porteurs du virus du sida.

Les experts du ministère de la Santé ont fixé à 10 ans l'âge idéal pour recevoir le vaccin suite à une étude réalisée au centre-ville de Québec qui démontrait que le taux d'acceptation du vaccin était de 5 pour cent plus élevé au primaire qu'au secondaire.

LE DEVOIR est publié par LE DEVOIR Inc. dont le siège social est situé au numéro 205
Informations publiées dans LE DEVOIR. LE DEVOIR est distribué par Messageries Dyn

LE DEVOIR, MARDI 9 FÉVRIER 1993

Méningite: en acceptant d'être vacciné, vous acceptez d'être fiché

MICHEL VENNE
DE NOTRE BUREAU DE QUEBEC

Votre petite signature sur le formulaire d'autorisation de vaccination contre la méningite, ces jours-ci, ne vous vaut pas, à vous-même ou votre enfant, qu'un petit vaccin.

Elle vous vaut également le privilège d'être fiché dans une banque de données créée expressément pour faciliter divers travaux de recherche sur cette maladie.

L'ÉTAT SAIT TOUT

Québec souhaitait en effet profiter de la vaste opération de vaccination déclenchée avant Noël, l'une des plus importantes dans le monde industrialisé, pour constituer cette banque de données sur un million et demi de Québécois, âgés de six mois à 20 ans, et qui seront vaccinés d'ici la fin mars.

Il en avait confié le mandat au Dr Christian Fortin, du centre de coordination de la santé publique à Québec. Il a parallèlement lancé dans le réseau de la santé un appel aux chercheurs intéressés à utiliser telles données pour leurs travaux.

Le formulaire dit que les renseignements «sont nécessaires au suivi de l'opération de vaccination». Il ne parle pas de travaux de recherche.

Les travaux du Dr Fortin visent entre autres à connaître la couverture vaccinale dans chaque région (combien de vaccinés et qui) et de mesurer l'efficacité du vaccin sur les cinq prochaines années, en particulier auprès des enfants âgés de moins de trois ans.

Il n'existe à peu près pas d'études sur l'efficacité de ce vaccin sur les enfants de moins de trois ans à travers le monde, explique le Dr Fortin. L'opération québécoise est une occasion unique, dit-il, de faire avancer la recherche à ce sujet.

D'autres projets de recherche s'intéressent aux déterminants de l'acquisition de la maladie.

Tel que rédigé, le formulaire laisse le choix à la personne d'accepter ou de refuser le vaccin. Mais il ne lui laisse pas le choix d'accepter que les renseignements contenus sur le formulaire soient communiqués au DSC, au ministère et à la Régie de l'assurance-maladie.

En signant l'autorisation de vaccination, vous autorisez la communication des renseignements.

Il est possible de s'y soustraire en rayant le paragraphe concerné sur le formulaire.

La Loi sur la santé et les services sociaux stipule que des informations contenues au dossier médical ne peuvent être communiquées à autrui qu'avec le consentement du patient.

Ce formulaire a fait naître un litige entre le ministère et la Commission d'accès à l'information, chien de garde de la vie privée auprès du gouvernement.

Selon la Commission, ce consentement n'est pas valide parce qu'il ne lui apparaît pas être accordé par le signataire de façon «libre et éclairée».

La Commission a écrit au sous-ministre de la Santé pour lui dire que les organismes qui recueillent ces renseignements «ne peuvent se sentir autorisés de ce consentement pour les communiquer au ministère».

Il reste à voir si le ministère contestera cet avis.

Régis Pluchet dans le journal "**L'Impatient hors-série**" de Juin 1996 N° 11 souligne les faits suivants :

Crise de foie, nausées récidivantes, vertiges, troubles de la vision, crises d'eczéma, urticaire, asthénie (fatigue générale pendant plusieurs mois), etc. Les témoignages des patients éprouvant des réactions sévères après le vaccin contre l'hépatite B s'accumulent. Depuis 1993, *L'IMPATIENT* ainsi que les associations pour la liberté des vaccinations recevaient régulièrement des courriers à ce sujet.

Ces témoignages se sont multipliés avec les vaccinations massives pratiquées depuis l'été 1994. Une propagande effrénée laisse croire que l'hépatite B menace toute la population et qu'elle est aussi dangereuse que le sida: «*Hépatite B - Sida : même combat ?* », déclare un document des laboratoires SKB, largement diffusé dans les cabinets médicaux. Face à ce nouveau fléau, une arme imparable : un vaccin «*bien toléré, les réactions adverses observées ont été rares, bénignes et transitoires*», nous dit la documentation du vaccin Engerix (laboratoire SKB).

Au début de l'année 1995, une enquête de *L'IMPATIENT* montrait que la vaccination généralisée dans les collèges n'avait aucune justification (voir Guide page 21-22). Et nous concluions, en craignant que la multiplication aveugle des vaccinations entraîne une multiplication des effets secondaires graves. Nous ne pensions, hélas, pas si bien dire puisque, dans les semaines qui ont suivi, nous avons reçu plusieurs témoignages de personnes ayant déclaré une sclérose en plaques, après le vaccin contre l'hépatite B...

... Au dos d'une lettre adressée en janvier 1995 par le laboratoire Pasteur-Mérieux à tous les médecins pour leur présenter le nouveau schéma de vaccination contre l'hépatite B, on pouvait lire encore qu' «*aucune réaction d'intolérance grave n'a été rapportée.*»

Or quelques semaines auparavant, une réunion de travail de la Commission nationale de pharmacovigilance démentait cette allégation. Un bilan de l'ensemble des effets indésirables des vaccins contre l'hépatite B, recensés en France, entre 1981 et 1994, notait 241 accidents neurologiques et notamment des observations de paralysie faciale, de polyradiculonévrite (paralysie plus ou moins sévères), de troubles de la sensibilité, de syndromes méningés et de cas de sclérose en plaques...

...Combien de personnes ont-elles déclaré une SEP après vaccination contre l'hépatite B ? On aimerait bien savoir ! Le chiffre n'est pas connu. Sur la base du nombre de vaccinés (trois millions sept cent mille) et des chiffres donnés par le directeur médical des laboratoires Pasteur-Mérieux (un cas de SEP pour un million de doses injectées), *L'IMPATIENT* estimait (dans son numéro de mai 1995), qu'à raison de quatre doses injectées par patient, douze ou treize SEP pourraient avoir été déclenchées en 1994. Ce n'est qu'une hypothèse. Mais selon les témoignages des victimes qui nous ont contacté, une vingtaine de cas de SEP seraient suivis au service de neurologie de l'hôpital de la Salpêtrière. Un chiffre exagéré ? Ou un chiffre sous-estimé qui ne prend pas en compte les cas non recensés ? Ce qui est sûr, c'est que plusieurs cas sont suivis à la Salpêtrière, comme l'a écrit, dans un très court article, *la Recherche* (avril 1995). En dehors de *L'IMPATIENT*, c'est la seule fois où la presse ait évoqué ce problème.

Jusqu'à quand le scandale du vaccin contre l'hépatite B restera-t-il étouffé ? ■

Ci-dessous un extrait de la lettre de Robert E. Willner ainsi que les commentaires d'une journaliste. Ces documents sont extraits du livre "**L'ultime supercherie**" aux Ed. Soleil.

ROBERT E. WILLNER, M.D., Ph.D.
L'ULTIME SUPERCHERIE
416 SAN YSIDRO BOULEVARD
SUITE-633
SAN YSIDRO, CA 92173

Tél. (619) 428-5923, Int. 633

Décembre 1992

Cher Confrère,

Mon intime conviction est que la plupart d'entre vous, tout comme moi, avez choisi le domaine de la médecine à cause d'un intense désir de vouer vos vies à des efforts constructifs et gratifiants. Je voyais la médecine comme une profession basée sur la science, la compassion et la dignité, qui apportait comme récompenses honnêtement méritées le respect, l'honneur et une vie relativement aisée. Je croyais que c'était une profession qui favorisait la pensée indépendante, la créativité et l'innovation, et était profondément ancrée dans l'intégrité. J'étais naïvement persuadé que la médecine s'élevait au-dessus de l'avarice, de la politique, de la tromperie et de l'esprit de vengeance. Durant les trente-cinq années au long desquelles j'ai pratiqué la médecine, j'ai eu le privilège de travailler avec un grand nombre de médecins dévoués ainsi que l'honneur de servir la profession en tant que conférencier et président d'associations, de sociétés, de comités médicaux et d'associations de personnel hospitalier.

Tout comme beaucoup d'entre vous, j'ai assisté aux incroyables progrès technologiques. Malheureusement, nous avons aussi assisté à la montée d'une bureaucratie et d'un contrôle étouffants, souvent dans nos propres rangs, de même qu'au niveau du gouvernement. Les conséquences inévitables de telles circonstances sont la perte de la liberté de pensée et d'expression, la suppression de l'innovation et la tyrannie d'un petit nombre qui essaient de nous prendre comme otages de leurs croyances. Ces conséquences entraînent à leur tour des maux encore plus grands : l'occasion de perpétrer une tromperie en toute impunité, de s'opposer à la vérification, de défier la contestation et de faire faire machine arrière au progrès.

Une parodie de la science et de la médecine s'est mise en place ces dix dernières années, d'une telle dimension et tellement incroyable, que votre première impulsion sera d'écarter toute critique. Ceci était bien sûr la conviction de ses auteurs et jusqu'ici, ils ont réussi. A cause de la confiance inhérente que nous avons en nos collègues scientifiques, on nous a aisément entraînés sur une voie trompeuse enjolivée par le mystérieux jargon scientifique avec lequel beaucoup d'entre nous n'étaient pas forcément familiers. Tel est le cas avec le SIDA - la soi-disant "Epidémie du Siècle".

JE VOUS EN PRIE, LISEZ "L'ULTIME SUPERCHERIE" (Pourquoi Le Sexe Et Le Virus Ne Sont Pas La Cause Du SIDA). Ce document est entièrement basé sur des informations sérieuses et des faits et il vous étonnera.

Je vous implore de ne pas rejeter ceci comme quelque chose qui ne pourrait pas être changé par votre intervention. **Les noms des personnes qui remettent sérieusement en question les théories VIH-SIDA, se lisent comme un "Who's Who" de la science.** Ils comprennent :

le Dr Peter H. Duesberg, Professeur de Biologie Moléculaire à l'Université de Californie, Berkeley, Californie; autorité internationale en matière de rétrovirus; membre de l'Académie Nationale des Sciences,
le Dr Charles A. Thomas, Jr., Biologiste à Harvard, fondateur du Groupe pour une Réévaluation Scientifique de l'Hypothèse VIH-SIDA,
le Dr Kary Mullis, Biochimiste: inventeur du RCP, la réaction en chaîne de polymérases, qui est le mode de mesure le plus précis de la présence de virus,
le Dr Robert Root-Bernstein, Professeur de Physiologie, Université de l'Etat du Michigan, une des principales autorités en matière de SIDA,
le Dr Gordon Stewart, Professeur Emérite de Santé Publique, Université de Glasgow, consultant auprès de l'Organisation Mondiale de la Santé pour les maladies transmissibles,
le Dr Joseph Sonnabend, pionnier de la recherche sur le SIDA, fondateur de la Fondation Médicale pour le SIDA,
- et bien d'autres !

Leur nombre dépasse la centaine à l'heure où j'écris ces lignes ! La réputation de la Médecine Amércaine a été mise en grand danger par des scientifiques malhonnêtes et cupides, qui exercent un pouvoir surprenant parce qu'ils ont impliqué dans leur supercherie des agences gouvernementales très influentes. Noùs, médecins, avons été privés d'une tribune libre impartiale parce que l'accès aux réunions médicales a été refusé aux détracteurs. C'est à présent aux médecins et à leurs patients d'exiger qu'une enquête complète et publique soit ouverte par le Congrès des Etats-Unis, afin que l'opposition puisse être entendue. Cette action servira à disculper la médecine de toute complicité dans cette ingnominieuse affaire.

Votre respectueux confrère,

Robert E. Willner, M.D., Ph.D.

P.S. J'ai annexé la conclusion d'un document présenté par le Dr Peter Duesberg aux Débats de l'Académie Nationale des Sciences en vue de sa publication. Ce bref résumé vous convaincra de la nécessité d'une enquête complète sur l'"HYPOTHÈSE DU SIDA".

AVERTISSEMENT !

Le président Eisenhower, lors de son discours d'adieu à la nation, nous mit en garde contre le "complexe militaro-industriel". La supercherie suprême nous met en garde contre une menace encore plus grande pour nos vies, nos libertés et notre économie -- **"Le complexe médico-industriel".** Cette alliance résiste à et détruit avec acharnement toute opposition à ses concepts erronés et restrictifs de la maladie et de sa cause.

Cette conspiration de l'arrogance, de l'ignorance et de la cupidité coûte chaque année des centaines de milliers de vies et 200 milliards de dollars.

La supercherie du SIDA n'est qu'un exemple de cette catastrophe.

Nous perdrons la guerre contre le SIDA, tout comme nous avons perdu la guerre contre le cancer. Nous ne gagnerons jamais la guerre contre ces deux maladies si nous ne comprenons pas que **la cause de toute maladie est une déficience acquise du système immunitaire,** que ce soit par la contamination de notre environnement ou par la voie génétique, ce qui est rare.

Nous n'"attrapons" aucune maladie, nous succombons simplement à notre inadaptation à notre environnement.

Si tel n'était pas le cas, la première "épidémie" sur terre aurait été la dernière. Les épidémies et les fléaux de l'Histoire ont tué des millions de gens, mais il y a eu plus de survivants que de morts - pourquoi ?

Les survivants ont toujours été ceux dont le système immunitaire était intact.

Un individu en bonne santé est celui qui s'est adapté à toutes les conditions et à tous les habitants de notre planète, à savoir non seulement aux bactéries et aux virus,mais aussi à l'air, à l'eau, aux plantes et à tous les habitants de la terre y compris nos congénères.

Si nous altérons ou détruisons l'écosystème sans avoir le temps ou la capacité de nous adapter, la maladie et la mort s'ensuivront à coup sûr.

Il y a une meilleure façon de faire ! Elle est connue depuis des milliers d'années !

Robert E. Willner, M.D., Ph.D.

DES FAITS !

FAIT !

IL N'EXISTE PAS UN SEUL RAPPORT PROUVANT QUE LE "VIH" SOIT LA CAUSE OU MEME UN CO-FACTEUR DU SIDA

FAIT !

BEAUCOUP DE CAUSES DU SIDA, PROBABLEMENT LA PLUPART SINON TOUTES, SONT DEJA CONNUES ET LE "VIH" N'EST PAS RECEVABLE COMME L'UNE D'ENTRE ELLES

FAIT !

C'EST UN POLITICIEN, ET NON UNE PREUVE SCIENTIFIQUE, QUI A DECRETE QUE LE VIH ETAIT LA CAUSE DU SIDA

COMMENTAIRES D'UNE EMINENTE JOURNALISTE

Dans une meurtrière conspiration du silence, la médecine établie ignore la preuve flagrante que le VIH ne se propage pas sexuellement et pourrait en fait se révéler anodin.

En tant que scientifique, vous ne devez pas défendre votre théorie pour la faire cadrer avec votre supposition : vous ne devez rien supposer, vous devez laisser parler les faits. Par la suite, vous pouvez avoir une théorie, mais une fois que vous en avez une, votre devoir en tant qu'homme de science est de la soumettre à l'impitoyable minutie de l'examen scientifique. Suivez la question de très près. Si votre théorie est exacte, elle dominera; si elle ne l'est pas, elle mérite de se désagréger.

Celia Farber.
Editeur en chef, Spin Magazine

(Tiré de son article "Confusion fatale", Spin Magazine, juin 1992)

UN VACCIN SERA-T'IL DEVELOPPE ET EN VOULONS-NOUS VRAIMENT UN?

C'est avec grand émoi que je contemple l'apparition d'un vaccin du SIDA. Cette déclaration doit vous choquer, aussi vais-je m'en expliquer. Bien que cela ne soit généralement pas connu du public, la vaccination est une question controversée chez les chercheurs scientifiques depuis de nombreuses décennies. La vérité au sujet de la vaccination a été efficacement dissimulée, ou du moins présentée seulement de façon partielle, même à la profession médicale. William F. Koch, scientifique de renommée mondiale dans le domaine de la recherche sur le cancer et les virus, écrit dans son texte "Introduction à la Thérapie Radicale Libre" (1961) : "La capsule protéique (du virus) possède des pouvoirs antigéniques qui produisent des réactions immunologiques spécifiques ainsi que des réactions sérologiques. C'est la partie convertible en un vaccin utilisé pour provoquer des réactions immunologiques chez le patient. Il n'y a pas de réaction immunologique à la partie nucléoprotéique, bien que ce soit la partie qui provoque la pathologie." Il répète ensuite : "... les vaccins contre un virus spécifique n'immunisent pas contre la nucléoprotéine qui est le véritable pathogène, spécialement après qu'elle ait pénétré et se soit intégrée dans la cellule-hôte, aussi parler de guérison... est-il une perte de temps. Même la prévention de l'infection virale par un vaccin rencontre l'opposition statistique la plus forte depuis les vaccinations à grande échelle contre la variole et la polio (vaccin de Salk). D'après ce que l'on sait de la structure des vaccins, les statistiques semblent logiques lorsqu'elles montrent que **les cas de paralysie dûs à la polio augmentent tant du point de vue de la fréquence que du point de vue de la mortalité de par l'usage du vaccin.**" Il présente ensuite le nombre de cas de polio signalés dans diverses régions des Etats-Unis et du Canada avant et après l'utilisation du vaccin de Salk. Regardons cela :

REGION CONCERNEE	Nbre de cas par an avant la vaccination	Nbre de cas par an après la vaccination
MONTREAL	moins de 100 cas	521 cas, 27 morts
OTTAWA	64 cas, 7 morts	455 cas, 41 morts

(Dans tout le Canada, il y eut 7 fois plus de cas de paralysie, accompagnés d'un plus grand taux de mortalité, après l'utilisation du vaccin.)

DETROIT	226 cas	697 cas
ETATS-UNIS	5'987 cas	8'531 cas
	3'090 paralysés	5'661 paralysés

(En Caroline du Nord et au Tennessee, où la vaccination était obligatoire, il y eut une **augmentation de 400%.**)

Koch commente ensuite son expérience avec le choléra du porc et la rage à Cuba et en Amérique du Sud. "Il devrait être dit que chaque épidémie de maladie virale traitée... a suivi la vaccination de quelques mois, alors que l'on aurait dû obtenir une protection au lieu d'une épidémie." Au sujet de la variole, Koch cite les Philippines, où l'armée américaine obligea 3'295'376 indigènes à se faire vacciner en 1918, "alors qu'une épidémie se préparait" et que seuls des cas légers et sporadiques se déclaraient. Après avoir été vaccinées, **47'369 personnes attrapèrent la variole et 16'477 en moururent.** En 1919, l'armée vaccina 7'670'252 personnes, ce qui eut pour résultat **65'180 cas de variole et 44'408 décès.**

Dès lors, la question évidente se pose de savoir pourquoi il y a eu une diminution des maladies contre lesquelles nous nous vaccinons. C'est précisément là que se situe la controverse. Les opposants soutiennent que la plupart des épidémies virales étaient déjà en diminution lorsque l'on eut recours aux vaccins et que la raison principale de cette diminution était l'énorme amélioration du système sanitaire et de l'hygiène. Ce sont là des arguments pratiques et solides en considération de nos connaissances approfondies en matière d'épidémiologie et de transmission. C'est toutefois très difficile à prouver. Presque toutes les maladies sévissent plus là où le système sanitaire, l'hygiène et la nutrition laissent à désirer. Il est également soutenu que les statistiques sont souvent truquées par le gouvernement, comme c'est le cas actuellement pour la soi-disant épidémie de SIDA. Dans le cas de la polio, par exemple, plusieurs maladies furent débaptisées et placées sous la même bannière. Lorsque le vaccin fut introduit, les Centres pour le Contrôle des Maladies publièrent de nouvelles directives de diagnostic qui reléguaient ce qui aurait été un diagnostic de polio à la méningite des temps d'avant la polio." (T.C. Fry)

Le document ci joint vient des dossiers rassemblés par ***Serge Monast***. Il le reçut d'un journaliste Américain qui avait réussi à l'obtenir de la "Librairie du Sénat Américain" de Washington. Il prouve que le Sida a non seulement été fabriqué synthétiquement dans un projet "top secret" du département de la défense des Etats-Unis mais encore qu'il fut transmis volontairement par le biais d'organismes officiels, par le vaccin contre la variole, le vaccin contre l'hépatite B et cela par le biais de l'OMS, par le centre de contrôle des maladies et par le centre de sang de New York !

Excerpts from the journal entitled "Chaparral Serendipity"

...no conspiracy can survive ExPose'....

DEPARTMENT OF DEFENSE APPROPRIATIONS FOR 1970

UNITED STATES SENATE LIBRARY

HEARINGS

BEFORE A

SUBCOMMITTEE OF THE COMMITTEE ON APPROPRIATIONS HOUSE OF REPRESENTATIVES

NINETY-FIRST CONGRESS

FIRST SESSION

SUBCOMMITTEE ON DEPARTMENT OF DEFENSE

GEORGE H. MAHON, Texas, Chairman

ROBERT L. F. SIKES, Florida
JAMIE L. WHITTEN, Mississippi
GEORGE W. ANDREWS, Alabama
DANIEL J. FLOOD, Pennsylvania
JOHN M. SLACK, West Virginia
JOSEPH P. ADDABBO, New York
FRANK E. EVANS, Colorado

GLENARD P. LIPSCOMB, California
WILLIAM E. MINSHALL, Ohio
JOHN J. RHODES, Arizona
GLENN R. DAVIS, Wisconsin

[illegible]
Robert Foster, Staff Assistants

Temporarily assigned

H.B. 15090

PART 5

RESEARCH, DEVELOPMENT, TEST, AND EVALUATION

Department of the Army
Statement of Director, Advanced Research Project Agency
Statement of Director, Defense Research and Engineering

Printed for the use of the Committee on Appropriations

U.S. GOVERNMENT PRINTING OFFICE
WASHINGTON : 1969

DEPARTEMENT DE LA DEFENSE
AFFECTATIONS POUR 1970

BIBLIOTHEQUE DU SENAT DES ETATS-UNIS

AUDIENCES

DEVANT UN

HAUT COMITÉ DU
COMITÉ SUR LES AFFECTATIONS
MAISON DES REPRESENTANTS

1ERE SESSION

HAUT-COMITE DU DEPARTEMENT DE LA DEFENSE

(LISTE DE NOMS)

PARTIE S.

RECHERCHE, DEVELOPPEMENT, TEST ET EVALUATION

DEPARTEMENT DE L'ARMEE

DECLARATION DU DIRECTEUR, AGENCE DU PROJET DE RECHERCHE AVANCEE

DECLARATION DU DIRECTEUR, RECHERCHE DE LA DEFENSE ET DU GENIE

Phoenix Source Distributors, Inc., P.O. Box 27353
Las Vegas, Nevada 89126

Funding for Development of the AIDS Virus

The development of the AIDS virus was funded in 1969 (three ears before the request for development by the World Health rganization) through funds obtained by the United States Defense epartment. The Defense Department requested and received $10 illion via House Bill 15090, which was reviewed in Hearings efore the Subcommittee of the Committee on Appropriations, ouse of Representatives during the Ninety-First Congress in eview of the Defense Appropriations for 1970.

Part Five of H.B. 15090 was entitled RESEARCH, DEVELOPMENT, EST, AND EVALUATION, sponsored by the Department of the Army, he Advanced Research Project Agency (now DARPA), and Defense esearch and Engineering.

The Feasibility program and laboratories were to have been ompleted by 1974-1975 and the virus between 1974-1979. The WHO tarted to inject AIDS-laced smallpox vaccine (Vaccina) into over 00 million Africans in 1977. Over 2000 young white male homo-exuals (Operation Trojan Horse) were injected with laced Hepatitis accine in 1978 through the Centers for Disease Control and New York Blood Center. The development of the virus apparently a dual purpose: (1) As a political/ethnic weapon to be used ainst black individuals and (2) one of the programmed efforts de-population.

The session of the Subcommittee that took place on July 1, 1969, nvolved discussions about Synthetic Biological Agents. Part of he Congressional narrative (from HB 15090) is detailed below:

"There are two things about the biological agent field I would ike to mention. One is the possibility of technological surprise. olecular biology is a field that is advancing very rapidly and many minent biologists believe that within a period of 5 to 10 years it ould be possible to produce a synthetic biological agent, an agent hat does not naturally exist and for which no natural immunity ould have been acquired."

Mr Sikes: Are we doing any work in that field?

Dr.MacArthur: We are not.

Mr. Sikes: Why not? Lack of money or lack of interest?

Dr.MacArthur: Certainly not lack of interest.

Mr. Sikes: Would you provide for our records information on what would be required, what the advantages of such a program would be, the time and the cost involved?

Le dernier document peut se lire ainsi :

"FINANCEMENT POUR LE DÉVELOPPEMENT DU VIRUS DU SIDA"...

Le développement du virus du Sida a été financé en 1989 (3 ans avant la demande de développement de l'Organisation Mondiale pour la Santé) grâce à des fonds obtenus par le Département de la Défense des Etats-Unis. Le Département de la Défense a demandé et reçu 10 millions de $ par la Loi 15090 de la Chambre, loi qui a été révisée hors d'audiences devant le Haut Comité du Comité sur les Affectations, Chambre des Représentants, durant le 91ème congrès, en révision des Affectations de la Défense pour 1970.

La partie 5 de la Loi 15090 était intitulée Recherche, Développement Test et Evaluation, par le Département de l'Armée, l'Agence de Projet de Recherche Avancée (la DARPA), et la Recherche de la Défense et du Génie.

La faisabilité du Programme et des Laboratoires devraient être complétés pour 1974-75, et le Virus, prêt entre 1974-1979. L'Organisation Mondiale de la Santé commença à injecter le SIDA (lié) au Vaccin contre la Variole à plus de 100 millions d'Africains en 1977. Au-delà de 2000 jeunes blancs mâles homosexuels (Operation Trojan Horse) furent injectés avec le Vaccin (trafiqué) de l'Hépatite "B" en 1978 à travers les Centres pour le contrôle des Maladies et celui du Sang de New-York. Le développement du Virus avait apparemment deux buts : le premier en tant qu'arme Politique et ethnique devant être utilisée contre les noirs et le second pour réduire le taux de population...

La session du Haut Comité qui a eu lieu le 1er Juillet 1989 a engendré des discussions sur les Agents Biologiques Synthétiques. Une partie du discours du congrés est détaillée ci-dessous (de HB 15090).

« Il y a deux choses que je voudrais mentionner à propos de l'agent biologique. l'une c'est la possibilité d'avoir une surprise technologique. La biologie moléculaire est un domaine qui évolue rapidement et beaucoup d 'éminents biologistes pensent que dans une période de 5 à 10 ans il serait possible de produire un agent biologique synthétique, un agent qui n'existe pas à l'état naturel et pour lequel aucune immunité naturelle ne pourrait être acquise. »

Mr Sikes : Est-ce que nous faisons quelque chose dans ce domaine ?

Dr Mc Arthur : Non.

Mr Sikes : Pourquoi non ? Manque d'argent ou manque d'intérêt ?

Dr Mc Arthur : Certainement pas manque d'intérêt.

Serge Monast intitule cette partie de son dossier :
"**Les services secrets des vaccins**".

Il s'en explique ainsi :

"Les raisons d'un tel titre est dû en grande partie aux difficultés sans bornes que j'ai dû affronter pour n'obtenir en fin de compte que très peu d'informations concernant la compagnie qui avait fabriqué le vaccin contre la "méningite" qui avait servi à vacciner une très grande partie du Québec vers la fin 92... Je communiquai directement avec la salle des nouvelles de Radio canada où je pus m'entretenir avec Martine Turcotte... Elle dût m'avouer qu'aucun, mais là, absolument aucun journaliste, à l'époque n'avait fait d'enquête dans le but de connaître le résultat des analyses produit par le groupe des spécialistes qui conseilla au ministère d'aller de l'avant avec la vaccination contre la méningite.

Le dossier continue par ce titre :

Manipulation Politique de la Vaccination

dont voici des extraits:

"Pourquoi la décision concernant la dernière campagne de vaccination massive au Québec contre la méningite fut-elle avant tout une décision politique et non un décision médicale ? Depuis quand les politiciens se font-ils passer pour des spécialistes des questions médicales ?

Cette question était commune à l'ensemble des médecins au lendemain de cette décision gouvernementale d'aller de l'avant avec une campagne de vaccination massive contre la méningite....

Un grand nombre d'infirmières et de médecins se sont demandés à juste titre par rapport à cette vaccination comment il se faisait qu'un "protocole particulier" soit rendu nécessaire pour l'administrer alors qu'ils avaient l'habitude d'administrer des vaccins. ce protocole était d'ailleurs prévu par le gouvernement pour cette injection spécifique. Fait inusité, la manière dont il fallait incliner la seringue avec un angle particulier pour injecter ce vaccin, de même, la pression très forte qu'il fallait appliquer pendant plusieurs secondes à l'endroit même où l'injection avait lieu, puis, l'aiguille de la seringue qu'il fallait retirer très rapidement.

Ce fait, rattaché au "protocole spécial" est d'autant plus étrange dans l'administration d'un vaccin contre la méningite qu'il ressemble en tous points à la manière dont doit être injecté un implant électronique servant à l'identification personnelle et fabriqué entre autre par la "Texas Instrument". la méthode est aussi semblable à celle utilisée pour l'injection de cristaux liquides afin d'empêcher leur retour dans la seringue.

ATTENTION ! Nous n'affirmons aucunement que cela fut le cas lors de l'injection de ce vaccin "à protocole spécial" mais nous ne pouvons passer sous silence la ressemblance frappante existant entre ce "protocole" et celui utilisé dans le cadre de l'injection d'implants électroniques devant servir à l'identification des sujets injectés, mais encore à leur repérage par satellite ainsi qu'au contrôle direct de l'individu pour des fins politiques."

VACCINATIONS ET MALADIES :

Qui pourrait un instant penser que les vaccinations puissent provoquer à leur tour des maladies. Pourtant des articles médicaux dans des r evues spécialisées et reconnues pour leur sérieux le laisseraient penser :

En Avril 1950 deux journaux médicaux, le célèbre "Lancet" et le non moins réputé "The Médical officer" rapportèrent que la paralysie infantile avait suivi l'inoculation de la "diphtéria toxoïd", le vaccin contre la coqueluche et l'assemblage des vaccins diphtérie-coqueluche.

En 1951-53, 170 cas des 1308 cas de paralysie en Angleterre et dans le pays de Galles chez les enfants de six mois à deux ans étaient reliés à l'injection contre la diphtérie.

L'Institut de Médecine des Etats-Unis a conduit plusieurs études sur le sujet. La dernière en 93 conclut qu'il y a une relation entre les vaccins et les maladies ou morts suivantes :

- Vaccin contre la rougeole et "strain viral infection" (mortelle)
- Vaccin oral contre la polio et "strain infection"
- Vaccin contre la diphtérie et le tétanos et "l'anaphylactic schok" (réaction parfois fatale)
- Vaccin rougeole-oreillons-rubéole et "thrombocytopénia"

Les auteurs font aussi ressortir la relation de cause à effet entre :

- Vaccin contre la rougeole et désordres neurologiques
- Vaccin oral contre la polio et syndrome Guillain-Barre
- Vaccin contre l'hépatite B et l'arthrite et maladies du système nerveux
- Vaccin contre le tétanos et syndrome de Guillain-Barre

Le vaccin contre la coqueluche est reconnu comme étant le plus impur de tous les vaccins administrés aux enfants et susceptible de causer des dommages du cerveau.

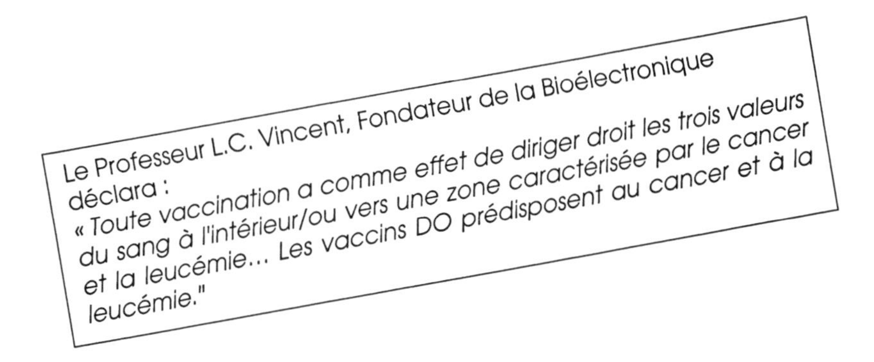

VACCIN contre L'HEPATITE B :

Le Dr Hartman, pédiatre consultant déclare au "journal of pédiatric child health" 1960, 26 :

"Il y eut des effets secondaires rapportés suite aux vaccinations contre l'hépatite B. Il y eut un rapport concernant un patient avec du "pruritus" et un œdème infra-orbital. Il fut rapporté 6 cas sérieux de maladie dans une série de vaccinations contre l'hépatite B: "Erythema multiforma, aseptic méningitis, grand mal seizure, syndromes de Guillain-Barre."

VACCIN contre la DIPHTERIE :

Au Royaume-Uni, plus de 30 000 cas de diphtérie furent rapportés parmi les enfants immunisés. En Allemagne, en 1940 il y eut une obligation de l'immunisation de masse. En 1945 les cas de diphtérie avaient augmenté de 40 000 à 250 000...

Le Dr Supperat, Docteur en Chef de l'hôpital St Louis aux Etats-Unis a déclaré concernant les vaccins contre la diphtérie et la variole :
« Ils provoquent une explosion de Leucémie. »

VACCIN contre la GRIPPE :

Le 23 juin 1979 "The Australian journal" publie une lettre du Dr A. O' Rourke surintendant médical de l'hôpital général de Toowoomba et dont la conclusion est la suivante:

"... pendant plusieurs années, le sentiment profond parmi le public et les médecins fut que le vaccin contre la grippe non seulement était tout à fait inutile mais encore qu'il rendait malade."

Le "Australian Doctor, Juin 18, 1993" rapporte ce fait troublant :
« Les patients atteints d'arthrite Inflammatoire ne devraient pas recevoir le vaccin contre la grippe à cause de son potentiel d'aggraver leur condition, selon un éminent rhumatologue australien. »

The Lancet (10-8-74) contient les détails d'une étude impliquant 50000 employés des postes et les vaccinations contre la grippe : "*...les résultats jusqu'à présent obtenus démontrent que l'offre annuelle d'une injection du vaccin dans une vaste industrie n'a pas entraîné une réduction significative de la maladie.*"

"What Doctors Don't Tell You, U.K., vol. 4, N°8, 1993" ; et le "NVIC (National Vaccine Information Center) News, US Oct. 1993", rapportèrent cette conclusion que tous les Vaccins qui sont administrés à des enfants causent des préjudices/dommages.

VACCIN contre la COQUELUCHE :

Le tableau suivant qui fut publié dans "Infectious Diseases (WHO) démontre clairement l'inefficacité du Vaccin contre la Coqueluche.

Source: "Community Disease Surveillance Center":

PERTUSSIS EN ANGLETERRE

Année	Cas enregistrés	% de ceux Vaccinés
1970	16,597	79%
1971	16,846	79%
1972	2,069	79%
1973	2,441	79%
1974	16,230	72%
1975	8,910	60%
1976	4,278	39%
1977	18,717	41%
1978	67,008	31%
1982 (premier 9 mois)	47,508	50%

Ce tableau parle par lui-même...

"LE PIRE VACCIN DE TOUS EST CELUI CONTRE LA COQUELUCHE...IL EST RESPONSABLE D'UN GRAND NOMBRE DE MORTALITES, ET D'UN GRAND NOMBRE DE DOMMAGES CEREBRAUX IRREVERSIBLES CHEZ LES NOUVEAU-NES." Dr. Archie Kalorekinos, Sunweil Tops, NSW, 24 Mai 1987.

Note de l'auteur : On voit que le nombre de cas de maladie chez les personnes vaccinées triple entre 70 et 82 donc le vaccin n'est pas efficace. Il y a autant de malades si ce n'est plus même avec les nouveaux types de vaccins.

Nous ne pouvons devant tous ces faits, oublier que vaccins, transplantations et greffes génèrent des profits incalculables et des renommées pour certains centres hospitaliers et leurs médecins.

Voici au sujet des prélèvements d'organes
un article d'août 92 du "**Monde diplomatique**".

L'IMPLACABLE loi du marché ne connaît pas de limites. Puisqu'il existe, dans les cliniques et hôpitaux des pays développés, une importante demande d'organes humains pour greffes et transplantations, pourquoi ne pas organiser l'offre ? De gré, par l'achat d'un rein, par exemple, à des miséreux ou de force, par le rapt ou la fausse adoption d'enfants, revendus pour leurs organes sains... C'est à de telles abominations que s'emploient, en Amérique Latine et ailleurs, des réseaux criminels bénéficiant de complicités à des niveaux élevés des gouvernements qui, des Etats-Unis à l'Argentine, nient tout en bloc.

Maïté PINERO

En mars dernier, à San-Luis-L'otos (Mexique), M. Librado Ricavar Ribera, secrétaire général du gouvernement provincial, annonce l'ouverture d'une enquête sur le trafic d'organes et révèle que des enfants de la zone de l'Altiplano et des faubourgs de San-Luis disparaissent ; au bout de quelques semaines, ils sont restitués à leurs familles après avoir subi l'ablation d'un rein. M. Ricavar Ribera affirme que les enfants sont emmenés dans des cliniques à la frontière américaine. Il ajoute que le même trafic existe dans l'Etat voisin de Tamaulipas, limitrophe des Etats-Unis. Quelques milliers de dollars achètent le silence des familles très pauvres. Ce sont des voisins qui accusent.

M. Leonardo Villeda Bermudez, secrètaire de la Junte nationale du bien-être social révèle :
« Nous avons la preuve que les enfants achetés ou volés à des familles pauvres étaient vendus, à des réseaux des Etats-Unis,. 10000 dollars au minimum pour servir de donneurs d'organes. »

Au Mexique, les accusations s'accumulent. Le 24 Juin 1989, la correspondante à Puebla du Journal "El Universal" dénonce l'enlèvement de trois enfants et précise : *« Dans un village situé sur les berges du rio Cuichal, un enfant a été enlevé. Il a été retrouvé quelques semaines plus tard à Tlalauquitepec, à 50 kilomètres de son domicile. Il avait été opéré et il lui manquait un rein ; il est hospitalisé à Puebla. »* Le journaliste ajoute : *« Le manque de noms et de prénoms est dû à la panique qui s'est emparée des familles ; les gens ont refusé de me donner des renseignements plus précis par peur des représailles. »*

En Février 1992, en Argentine, le ministre de la santé a reconnu que le directeur de la clinique psychiatrique Montes-de-Oca, située près de Buenos-Aires, prélevait effectivement du sang et des organes, des cornées notamment, sur les malades. L'enquête se poursuit.

Le massacre des "jetables"

Après l'Argentine, vint le tour de la Colombie. Début Mars 1992, éclate une épouvantable affaire digne du monstrueux univers du docteur Frankenstein ; dans l'amphithéâtre de la faculté de médecine de Barranquilal sont retrouvés dix cadavres d'indigents, dont celui d'une adolescente de quinze ans, et les restes de quarante autres personnes. Les gardiens de la faculté assommaient les mendiants à coups de batte de base-ball. Les victimes, plongées dans le coma n'étaient achevées qu'après extraction de leurs organes les plus rentables qui étaient écoulés sur le marché noir. Les corps étaient ensuite utilisés pour les travaux pratiques des cours d'anatomie ou jetés dasn les décharges.

Maïté PINERO

"Shocking", les méthodes anglo-saxonnes ?

Laurence Usciati (à Londres) et Florence Kennel

...Au Royaume-Uni, n'importe qui peut s'offrir le dossier médical de John Major ou de Hugh Grant, à condition de débourser entre 1 185 F et 6 320 F. Les indiscrets passent par des agences de détective, présentes dans les pages jaunes. Ces fouineurs promettent de trouver les antécédents médicaux de n'importe quel Britannique en ayant seulement son nom, son adresse et sa date de naissance. Les renseignements touchent aussi bien l'histoire sexuelle que mentale et physique de « l'espionné ».

Certains fichiers vendus fin novembre révélaient le nom de personnes ayant subi une opération de vasectomie, ou portant des antécédents de la maladie d'Alzheimer. Ces révélations sont sorties quand une des agences a fait savoir qu'elle recevait de plus en plus de commissions de la part de très grosses entreprises désireuses de vérifier le passé médical de leurs employés. ■

DOSSIER "LA GRANDE VALSE DES VACCINATIONS OU LE REGNE DES SAVANTS FOUS"
du Dr Alain SCOHY

La Guerre du Golfe, pendant l'hiver 1991 aurait dû nous servir de leçon.
50 000 GI américains environ sont envoyés là-bas et subissent au moins 4 vaccins, dont l'hépatite A, probablement l'hépatite B, et d'autres plus rares (Botulisme et Charbon). Les deux vaccins contre l'hépatite A et B sont préparés par génie génétique. Ils subissent certes sur place une pollution importante. Mais rien n'a été signalé parmi les autochtones à ce que je sache. Ils ont pris un médicament dur, le bromure de pyridostigmine (MESTINON). Mais peut-il à lui seul engendrer une tératogenèse ? Cela n'est pas mentionné dans le Vidal (aucune malformation notée chez les enfants des femmes traitées pendant leur grossesse avec ce médicament). 20 000 anciens soldats sont malades aujourd'hui. 2 000 sont décédés. **Surtout, il y a eu en 3 ans 2000 naissances d'enfants gravement anormaux : nanisme, atrophie d'une moitié du corps, hydrocéphalie, mongolisme...**
(Cf. ZONE INTERDITE / M6 - mai 1995)
Il en est sans doute de même pour le contingent français, même si dans notre beau pays, la censure et l'autocensure dépassent l'imaginable.

Autre petite anecdote « croustillante » :

D'après le ***Journal of clinical microbiology*** de juin 1994, n°6, une équipe de chercheurs japonais du Centre de recherche biomédicales de la Faculté de Tokyo a mis en évidence *la présence de fragments d'ARN du virus de la peste* dans des vaccins contre la rougeole, la rubéole et les oreillons (vaccins simples et vaccins associés). Le plus étonnant et le plus inquiétant aussi , c'est que ces chercheurs assurent que les vaccins ne pouvaient être « contaminés ». Les ARN du virus de la peste seraient donc apparus par un **phénomène de recombinaison** qui reste encore à expliquer.
(D'après l'IMPATIENT - Hors-Série n°11 - Juin 1996)

2) LE VACCIN ANTI-POLIO...

Il est vraiment le "Gaston Lagaffe" des vaccins. Nous avons vu à quel point il était difficile de pouvoir certifier la pureté d'un vaccin viral. Par trois fois au moins, le vaccin POLIO est passé à la frange du scandale le plus effroyable, et il a fallu tout l'aveuglement et le conditionnement du corps médical, toute la science du corps politique, pour pouvoir étouffer ces affaires.

Le premier vaccin POLIO - appelé "SALK" (du nom du biologiste qui l'a mis au point) - est fabriqué à partir de cultures du virus sur des reins d'une variété de singes appelée RHESUS DES INDES. Ce vaccin est inoculé à des millions d'enfants, dans le monde entier, jusqu'en 1960 où l'on découvre qu'il est contaminé par le VIRUS SV40 du singe, inconnu jusqu'alors. Ce virus est responsable de cancers chez certaines espèces animales. Se pose alors la question de savoir s'il peut aussi générer des cancers chez l'homme ? Des expérimentations montrent alors que des cultures de tissus humains (rein, peau, thyroïde) se cancérisent en sa présence.

Quelques années plus tôt, déjà, au Danemark, le programme de vaccination contre la poliomyélite avait dû être interrompu : 180 litres de vaccin, permettant d'inoculer 540 000 enfants, apparaissaient comme inutilisables car contaminés par plusieurs virus vivants.

> A l'époque, Josuah LEDERBERG, prix Nobel de Médecine 1958, critique ouvertement **le manque d'étude de l'impact des vaccinations dans l'organisme récepteur.**
>
> A propos de la contamination du vaccin par le virus SV40, il déclare à la presse : "*C'est par la plus grande des chances que cet incident n'ait pas provoqué la plus grande catastrophe médicale de notre histoire.*"
>
> Qu'en savons-nous en fait ? Cette hécatombe de cancers de toutes sortes que nous voyons fleurir depuis la dernière guerre n'est sans doute pas sans lien avec cette affaire, même si personne n'acceptera jamais de l'avouer !

Les laboratoires changent leur technique de culture pour la réalisation des vaccins anti-polio. Une nouvelle race de singe est utilisée, non porteurs, eux, de ce fameux virus SV40 : les SINGES VERTS d'Afrique. Le nouveau vaccin porte le nom du Pr. SABIN qui a présidé à sa mise au point.

Quelques années plus tard, sept personnes qui travaillent sur cette race de singe verts vont mourir d'une maladie inconnue à l'époque, à Francfort et à Marburg, en République Fédérale Allemande.

Avis favorable pour une greffe de moelle de babouin chez un sidéen américain

UN panel d'experts commis par la FDA a donné un avis favorable à la greffe de moelle de babouin qu'une équipe de Pittsburgh projette de faire chez un patient sidéen (nos éditions du 12 juillet). Bien entendu, la FDA doit encore se prononcer, mais en général elle suit l'avis des experts.

L'objectif de cette greffe est de restaurer les défenses immunitaires du patient.

L'entreprise est toutefois jugée très risquée : *« Cela va probablement accélérer sa mort »*, indique le Dr Hugh Auchilcloss. Les experts ont également attiré l'attention sur le fait que les deux babouins qui ont été sélectionnés pour la greffe sont déjà infectés par cinq virus qui, pour l'instant, sont inconnus chez l'homme. La greffe risquera donc de contaminer le patient, puis de proche en proche son entourage, avec les conséquences que l'on imagine à grande échelle. Les experts ont donc souhaité que l'on trouve d'autres babouins non infectés par ces virus. Toutefois, indiquent-ils, si cela n'est pas possible et si le patient persiste dans sa demande, les deux babouins sélectionnés pourraient être utilisés.

Dr E. DE V.

FRANCE 2

Les babouins sont insensibles au VIH, mais sont infectés par d'autres virus pour l'instant inconnus chez l'homme.

ARTICLE PROVENANT DU QUOTIDIEN DU MEDECIN
DE RICHARD LISCIA
N° 568 / MARDI 12 SEPTEMBRE 1995

Guerre bactériologique : les Irakiens travaillaient sur de nouveaux virus

L'étendue des révélations faites par les autorités irakiennes sur le développement de leurs armements biologiques et chimiques a stupéfait les scientifiques des Nations unies chargés de veiller au démantèlement des moyens militaires de l'Irak. Les chercheurs irakiens sont allés au-delà des connaissances actuelles en matière de guerre biologique et chimique. Ils ont notamment mis au point des toxines capables d'éliminer des récoltes entières et découvert de nouveaux virus mortels.

« L'*EFFORT irakien*, a déclaré un expert de l'ONU, *représente à la fois un énorme investissement et une "percée" dans le domaine des armes biologiques.* » Jusqu'à ce que deux généraux, gendres du président Saddam Hussein, aient fait défection en Jordanie, l'Irak affirmait que dix savants irakiens avaient travaillé pendant quatre ans sur des « projets » de guerre biologique et avaient rédigé six documents à ce sujet. Craignant d'être discrédité par ceux qui l'ont trahi, Saddam Hussein a donné l'ordre à ses services d'en dire beaucoup plus sur ses programmes militaires. Les agents de l'ONU, dirigés par Rolf Ekeus, ont ainsi obtenu une masse d'informations qui les a sidérés (1).

Le prix de la vie

En réalité, 150 scientifiques irakiens ont travaillé sur les armes biologiques et ils étaient entourés par une noria d'assistants et d'agents de sécurité. Le programme d'armes bactériologiques a été lancé pendant la guerre avec l'Iran (1980-1988) et il a été fortement accéléré en 1990, un mois avant l'invasion du Koweit. Les Irakiens affirment qu'ils voulaient non pas tuer un maximum de soldats ennemis, mais les rendre incapables de combattre. Le raisonnement qui les guidait était le suivant : les Occidentaux, qui attachent une grande importance à la vie, perdront plus de temps à soigner des militaires malades qu'à enterrer des morts.

C'est ainsi qu'ils ont développé le virus de la conjonctivite hémorragique, qui est très contagieux et provoque une cécité provisoire ; un autre virus, capable de tuer des enfants en provoquant une forte diarrhée, devait mettre des milliers d'ennemis hors de combat. Ils ont également travaillé sur le « camel pox » ou variole du chameau, qui provoque des lésions cutanées. Aucun de ces trois agents infectieux n'a été utilisé, selon les Irakiens, pendant la guerre du Golfe.

Enfin, ils ont fabriqué 300 litres de la bactérie qui cause la gangrène et ils étudiaient le moyen de les disperser sous la forme d'aérosols capables de pénétrer dans les poumons, ou en plaçant des spores à l'intérieur d'obus qui, en provoquant une blessure, l'auraient aussi infectée. Selon l'ONU, la recherche la plus étonnante des Irakiens portait sur le charbon du blé qui, utilisé de manière massive, peut détruire des récoltes entières.

Les Irakiens avaient l'intention d'utiliser ces armes contre Israël pour se venger du bombardement de leur centrale atomique en juin 1981 et contre les troupes alliées pendant la guerre du Golfe. Ils affirment aujourd'hui que tous leurs programmes de guerre bactériologique ont été démantelés. Il appartient à la mission de l'ONU de vérifier leur dires.

Richard LISCIA

(1) Voir « le Quotidien » du 29 août 1995.

ARTICLE PROVENANT DU "PANORAMA DU MÉDECIN"
FIN FÉVRIER 1996

Un nouvel implant à base de soja

La dernière génération d'implants mammaires est à base d'huile de soja, lancée en Suisse par la société Collagen SA. Le liquide de remplissage de cette prothèse qui porte le nom de Trilucent TM se compose de triglycéride, substance naturelle dérivant du soja, biocompatible avec l'organisme humain et résorbable par celui-ci.

Le triglycéride est d'ailleurs utilisé depuis plus de 40 ans dans le domaine médical, ce qui lui confère un historique de sécurité bien documenté. Sa transparence aux rayons X est équivalente à celle du tissu adipeux du sein humain, permettant de le visualiser correctement, contrairement aux prothèses salines ou à base de silicone.

Trilucent TM est par ailleurs muni d'un système d'identification unique en son genre qui permet un suivi à long terme de l'implant. Ce dernier est en effet muni d'une micropuce renfermant un code individuel auquel on accède par un lecteur manuel. Dr A. R.

Les VACCINS à venir…

Conférence-Débat avec le Dr Guy LONDECHAMP

le 10 février 1996 (près de Périgueux)

Le but n'est pas de faire peur mais de susciter un certain nombre de questions. Il y a plus de questions que de réponses ! Nous aborderons trois aspects :

Les expérimentations animales et les races transgéniques.

Les impacts probables des vaccins.

Les cristaux liquides.

1) LES EXPÉRIMENTATIONS ANIMALES ET LES RACES TRANSGÉNIQUES

Elles sont présentées comme une avancée très importante de la science en biologie moléculaire; Elles permettraient :

– d'un côté d'obtenir des produits humains à travers des corps animaux,

– et de l'autre côté d'obtenir des tissus animaux à greffer chez les humains, parce qu'on est en carence de donneurs.

D'autres choses vont en découler, en particulier concernant l'avenir des techniques vaccinales.

Le problème des races transgéniques touche énormément de races d'animaux : souris surtout - beaucoup de variétés -, cobayes, lapins, porcs, veaux, chèvres… Distinguer les animaux qui vivent dehors, et ceux qui ne vivent qu'en laboratoire. Certaines espèces sont élevées dehors (veaux), c'est là où les dangers sont les plus graves (contaminations éventuelles).

Des races ont été "modifiées" de toutes pièces pour pouvoir expérimenter sur elles des modèles de maladies humaines chez des animaux qui n'étaient pas atteints avant.

C'est le cas du babouin et du macaque Pigtail, par exemple, pour le SIDA… Ils vont devenir sensibles à ces maladies par sensibilisations successives. Les babouins étaient porteurs de SIV : (virus d'immuno déficience du singe), qui était une maladie pratiquement inapparente chez eux. On a créé récemment une sensibilité chez les babouins, (Quotidien du Médecin/28.10.94), pour qu'ils déclenchent un SIDA très proche de celui de l'homme, très rapidement évolutif, en couplant génétiquement un SIV avec un HIV : (virus d'immuno déficience humain)… Et on a obtenu par passages successifs en fait, une infectiosité de plus en plus rapide et des modèles de SIDA humain chez des singes qui avant étaient indemnes de la maladie. C'est une porte ouverte – à mon sens – très importante.

Sachant qu'en plus, beaucoup de virus du singe ont été inoculés avec le vaccin anti-polio (SV 40, STLV3). Il y a des virus proches qui sont présents maintenant chez les humains, parce qu'il y a des passages, comme la fièvre d'Ebola, fièvre hémorragique qui touche les singes et les fait mourir très rapidement, mais qui touche également les hommes. On se demande si ce virus EBOLA ne serait pas un agent de contagion par voie aérienne (Lancet/3.12.95/Vol 346/ p. 1669-1671). Il faut imaginer l'avenir de virus aussi contagieux que le virus EBOLA, qui aient la gravité sur le système immunitaire du virus "VIH". En admettant qu'il y ait des échanges de patrimoine génétique entre les virus, on pourrait aboutir à un virus transmissible directement de l'animal à l'homme, et qui ne soit plus transmissible uniquement par le sang ou par le sexe, mais par voie aérienne.

Donc extrêmement rapide, contagieux, et provoquant une atteinte très profonde et très rapide du système immunitaire.

LE PORC. C'est l'animal le plus proche de l'homme au plan antigénique (au point qu'on a pu utiliser l'insuline de porc pour l'injecter à des humains). On travaille beaucoup avec les porcs pour injecter chez eux des gènes du complément humain. On les sensibilise pour les rendre capables de ne pas s'immuniser contre les tissus humains en leur injectant des gènes du complément. On leur demande ensuite de fournir des tissus pour les transmettre à des humains en tant que greffes. Ces humains subiront ensuite une dépression immunitaire pour pouvoir tolérer ces tissus du porc, et qu'il n'y ait pas de réactions du complémentet de rejet. C'est encore une brèche dans le sens homme/porc pour que l'homme puisse tolérer les tissus du porc, pour qu'il n'y ait plus de réactions antigéniques croisées avec les protéines du porc, ou du porc par rapport à l'humain.

Cela veut dire deux choses. D'une part, chez les populations animales, il va quand même y avoir des modifications très importantes, peut-être de comportement, pas seulement immunitaires. Peut-être aussi psychiques ? Et dans l'autre sens, chez l'homme, il peut y avoir non seulement des modifications immunitaires mais aussi au niveau comportemental. Sachant qu'il peut y avoir ensuite des échanges de patrimoines génétiques entre les virus et entre les microbes, dans ces races animales, la brèche est ouverte vers l'humain pour que ça passe directement, pour qu'il n'y ait pas de réaction particulière de l'homme s'il y a des échanges directs, avec une sorte de neutralisation immunitaire ou tolérance.

S'il y a tolérance immunitaire il n'y aura peut-être pas de vagues ? *Mais si l'on aboutit à cette tolérance de tissus étrangers, c'est-à-dire à une acceptation, une absence de conflit, cela permettra progressivement d'utiliser du tissu étranger (pour des greffes) sans qu'il perturbe le système immunitaire, sans qu'il y ait de REACTION D'IDENTITÉ. Est-ce que cela ne veut pas dire qu'il y aura alors perte complète de l'identité ? Quel avenir dans ce cas pour le système immunitaire ? Et pour l'identité spirituelle ?*

On utilise déjà des protéines venant des animaux transgéniques. Par exemple l'érythropoïétine. Et ce, grâce à des veaux transgéniques qui synthétisent de l'érythropoïétine humaine (Quotidien du Médecin/23.12.93 et 3.3.94) qu'on injecte donc chez les insuffisants rénaux en dialyse. Est-il légitime de penser qu'une érythropoïétine synthétisée même avec des gènes humains dans un corps animal est structurellement identique à l'érythropoïétine humaine dans un corps humain ? Est-ce qu'on peut faire passer la molécule d'un champ de forme animal vers un champ de forme humain et considérer qu'il s'agit d'une molécule identique ? Avec les mêmes effets biologiques ? On a beaucoup parlé d'organisation spatiale et d'efficacité en fonction de cette organisation spatiale. Est-ce qu'on peut garantir que ces protéines étrangères ne sont pas accompagnées d'autres protéines ou ne sont pas capables elles-même de provoquer des chocs protéiques comme les prions ? (Cf les prions et la maladies des Vaches Folles / Jim n° 248 - Concours Médical du 15.4.95/Il s'agit bien ici de veaux - donc de vaches par rapport à ce risque). Pourtant, cette érythropoïétine est déjà dans le domaine de la commercialisation banale ou presque.

Peut-on se satisfaire d'une protéine *semblable*, ou faut-il qu'elle soit *identique* ? A-t-on le droit d'utiliser des substances animales synthétisées à partir de gènes humains greffés chez les animaux en disant qu'elles sont identiques ? Comme l'érythropoïétine élaborée chez l'animal à partir des gènes humains ? Est-ce scientifiquement recevable ?

Le risque est en fait qu'il y ait une confusion immunitaire profonde. Si le système immunitaire ne sait plus reconnaître ce qui est semblable et ce qui est identique, il peut littéralement devenir "fou" ou bien abréactif.

– C'est-à-dire entrer dans un système d'auto-destruction immédiate, ou bien être dans un système de tolérance par rapport à tout ce qui est étranger, en acceptant tout élément étranger sans faire de différence, et en restant dans le semblable mais plus dans l'identique. Cela implique une atteinte profonde de l'identité.

– S'il y a réaction, ce sera forcément un mécanisme d'apoptose[1] ou auto-immun... A savoir un mécanisme d'auto-destruction parce que le système immunitaire ne pourra plus reconnaître ce qui est lui et ce qui n'est pas lui. IL REAGIRA SEULEMENT A DES FRACTIONS ET NON A UNE TOTALITÉ. Ce sont les maladies auto-immunes, le SIDA, qui a une caractéristique auto-immune très importante.
Il s'agit en fait de substances animales - déjà utilisées dans le quotidien - qui sont à elles seules capables d'engendrer une problématique immunitaire avec une tendance auto-immune.

Définitions : *Semblable : il peut y avoir une portion semblable, avec un site de reconnaissance qui contient une séquence semblable. Mais pas la totalité. Il y a des variantes. Un segment stable reconnaissable comme étant immunogène, suscitant un réflexe d'identité. Si ce secteur est semblable, il n'y a pas de réaction. Mais il y a tout de même toute une partie qui accompagne qui n'est pas identique. La reconnaissance ici n'est que partielle.*

Identique : semblable en tous points.

Le problème est que la reconnaissance se fait sur certaines cibles, non sur la totalité. Les systèmes protéiques peuvent être plus ou moins fins. Et les systèmes immunitaires peuvent être très performants (avec un réflexe d'éjection très rapide), ou bien assez tolérants. Comme ce berger dont le sang n'hémaglutinait pas en présence de sang de mouton : il avait tellement vécu avec ses moutons, qu'il s'était identifié au moins partiellement à eux. Le mouton n'était pas un être étranger à lui. Il avait bu du lait, peut-être mangé de la viande... 17 ans de sa vie avec eux dans les montagnes, dans des conditions parfois difficiles...

La gravité pour le singe, c'est qu'on peut obtenir à travers les échanges triangulaires porc-singe-homme (parce qu'on a fait passer des gènes du singe chez le porc, et du porc chez le singe : on essayé de faire des échanges pour voir ce qui se passait, avant d'essayer cela avec l'homme), et on a greffé récemment de la moelle de babouin chez un homme, aux USA, pour essayer de combattre un Sida. Cela veut dire que tout est en place pour qu'il y ait des échanges génétiques de virus avec des tolérances immunitaires entre le singe, le porc et l'homme. C'est intéressant au niveau de la symbolique même des animaux. Déjà sur le plan pratique, il est possible qu'il y ait des mutations virales. Comme un croisement de virus entre eux, par exemple un virus simiesque + un virus grippal, le virus résultant du croisement pouvant alors adopter un mode de transmission aérienne, pas seulement par voie sanguine. Avec la même variabilité et la même contagiosité que le virus de la grippe, et le même impact sur le système immunitaire que le "virus du SIDA". Ces conditions là sont quasiment réunies actuellement.

En fait, on ne sait pas vraiment si le mode de transmission viral est un mode extérieur, ou bien s'il s'agit d'un mode transmission électro-magnétique et intérieur, c'est-à-dire un mode de résonance. Ou bien par des photons, UV ? Il semblerait que la transmission "virale" soit possible entre cultures cellulaires à travers du quartz qui laisse passer les UV.

Il y a déjà dans la plupart des virus, en particulier dans les herpès, des choses qui apparaissent incompréhensibles. Ces virus ne se comportent pas comme le feraient des pyogènes[2], ou certains virus qui donnent une immunité résiduelle. D'une part, quand il y a beaucoup d'anticorps, c'est là qu'il y a des manifestations cliniques. Et quand il y a absence ou diminution du taux d'anticorps, il y a rémission clinique et absence de toxicité. On peut corréler l'émission de boutons d'herpès avec des pics d'anticorps. Quand il y a tolérance, c'est à ce moment là qu'il y a une sorte d'équilibre. (Idem pour les chlamydiae).

1 - apoptose : mort cellulaire par activation d'un gène spécial de découpage de l'ADN.
2 - pyogènes : bactéries donnant des infections chaudes avec du pus.

Il est étonnant de constater que certains germes, certains virus, ont une partie semblable à nous... Par exemple le virus de la MNI (Mono Nucléose Infectieuse) est semblable au DR4 (typage HLA : Human Leucocytes Antigènes : groupes tissulaires génétiques). Un individu de groupe DR4 qui réagit de manière importante à l'EBV (Epstein Barr Virus, responsable de la MNI, peut déclencher une polyarthrite rhumatoïde, ou un diabète insulino-dépendant. C'est une des pathologies auto-immunes possibles. Si l'EBV se réactive d'une manière régulière, chaque fois il y a une poussée de la maladie.

Il y a donc des virus en partie semblable à nous. S'ils se manifestent, le système immunitaire n'arrive pas à réagir d'une manière claire.

Qu'est-ce qu'un virus-micro-organisme ?

– Une entité intelligente, avec la capacité d'avoir un plan, et de le mettre en pratique ?

– Ou bien, ce qui est plus probable, n'est-ce qu'un programme et une vibration, c'est-à-dire une information. Quel est le rôle de cette information ? On ne peut affirmer que les virus viennent effectivement d'une contamination extérieure. Il se peut tout à fait que ce soit nous-même qui créions ce virus = émission d'une fraction d'ADN, sortant du noyau cellulaire, et traduisant une information destinée à l'ensemble de l'organisme. Un certain nombre de virus fonctionnent comme cela, ressemblant alors à des "gènes sauteurs".

Si cela est vrai, sur le plan pratique, quand on est confronté à des infections virales de ce type, que traiter ? Pourquoi ? Avons-nous à traiter ? Et comment doit-on traiter l'information ?
Exemple : on trouve un sérodiagnostic positif au chlamydiae. On fait peur à une patiente, on lui explique que c'est une maladie à transmission sexuelle, que par conséquent le mari l'a trompée, et qu'elle risque une péritonite, une stérilité, des abcès salpingiens et toutes sortes de complications, comme des arthrites, des maladies auto-immunes. Il faut traiter aux antibiotiques pendant des mois (au moins 3), avec une efficacité non démontrée. Toute cette "tactique" n'a aucun fondement, parce qu'on ne comprend pas le rôle du chlamydiae, l'antibiotique ne sert pas à grand chose, et on traite au moment où les anticorps sont à un taux élevé.
Idem pour les herpès virus qui semblent avoir un lien étroit avec l'organisation du soi, de notre identité.

Est-ce que la tactique virale ne serait pas un programme extrêmement intelligent mettant en difficulté notre identité elle-même ? Le système immunitaire étant quelque chose d'extrêmement complexe. La maladie serait la résultante de cette information virale que notre système immunitaire n'arrive pas à résoudre. Problématique : quel est le sens, quel est le message derrière ?

Dr Jacqueline BOUSQUET (Docteur ès Sciences, spécialisée en biologie et immunologie) :
Ce sens est clair... Il s'agirait d'une dégénérescence de la cellule, sur le plan vibratoire. Elle ne peut plus contrôler certains éléments comme les mitochondries qu'elle a phagocytés (*Cf théories de Béchamp = microzymas/Gaston Naessens = Somatides/Institut Pasteur récemment = Mycoplasmes. Ces entités sous-cellulaires vivantes et autonomes seraient la base de la vie, les éléments constitutifs de la cellule. Les mitochondries, par exemple, seraient des entités de ce type phagocytées par la cellule, dans un but bien défini).* Lorsque le taux vibratoire de la cellule diminue, comme à un taux correspond une forme, le contrôle de ces éléments "étrangers" l'un à l'autre, mais constituants de la cellule, n'est plus possible. A une vibration correspond une forme. C'est de la physique. Si l'on change la forme, la vibration change. Lorsque, à un moment donné - par une quelconque déficience génétique par exemple - la cellule ne peut plus contrôler les organites qui la constituent, - par chute du taux vibratoire -, ces organites reprennent leur vie propre. Le système immunitaire est quelque part là-dedans. Il ne peut pas se bagarrer contre ses propres constituants. Ce qui explique son hésitation. Il ne sait plus quoi faire. La logique du signal, c'est : "remonte ton taux vibratoire pour reprendre le contrôle des événements !" Si l'on supprimait tous les virus, nous marcherions sur des monceaux de cadavres. Ce serait ce que l'on appelle le chaos, en biologie et physique. On est en train de le découvrir.

Dr Guy LONDECHAMP :
Il faudrait pouvoir corréler une information virale à un type de travail spirituel particulier. Arriver

à se dire que l'information étant une énergie lumineuse, elle a à voir avec l'information du système nerveux, à la mise en ordre de l'ensemble du système biologique, à la maturation de certains corps, de leurs niveaux d'organisation. C'est le problème des maladies infantiles : si ces informations, sur le chemin de l'enfant, correspondent en fait à la mise en ordre d'un programme générant la cohérence d'un champ de conscience, le fait d'empêcher ces maladies d'évoluer empêche l'identité, et la cohérence de s'installer dans l'individu. On atteint l'individu et son identité dès son développement. On aboutit à terme à mettre en place des races d'adultes désorganisés, n'ayant plus le sens de soi...

Extrêmement grave, parce que c'est passé dans les normes - depuis déjà un certain nombre d'années - pour des populations entières. Ce qui veut dire que les étapes de maturation de millions de personnes ont été court-circuitées. Cela ne signifie pas que c'est irrattrapable. On doit pouvoir y parvenir, mais à condition de rebrancher par le haut, par les niveaux les plus élevés. Il faut ré-informer par les niveaux les plus élevés pour remettre en ordre les choses, progressivement. Ce qui peut aller vite, même chez un individu très atteint.

Exemple : avec de l'homéopathie simple, c'est-à-dire une information qui n'est pas vraiment pondérable au-delà d'une certaine dilution, on arrive à faire passer des maladies infectieuses aiguës, virales ou non, d'une manière très rapide. Sans utiliser d'agents anti-infectieux ou de vaccin. Comme certaines suppurations qui peuvent disparaître quasi-instantanément avec une dose de MEDORRHINUM ou de THUYA. Ce qui prouve bien que ce n'est pas le germe lui-même qui est important mais le système d'ordre. Il n'est donc pas nécessaire de combattre un agent infectieux viral ou bactérien, mais de comprendre la dynamique perturbée.

Dr Alain SCOHY :
C'est le cas tout particulièrement pour le SIDA. Cela explique bien les guérisons spectaculaires sitôt que les patients reprennent en main leur vie, quittent la peur, modifient leur hygiène générale, alimentaire par exemple.

Dr Guy Londechamp :
Si donc les virus ou microbes sont des informations, l'utilisation d'un antibiotique pour une situation banale est une aberration. Restent la question de l'urgence évidente et de la réanimation où cette utilisation sera légitime.

On est dans une situation qui nous amène à une compréhension différente du terrain, et entraîne un changement d'attitude. Si on applique ce changement d'attitude, on peut se retrouver avec une interdiction d'exercice, surtout si les patients vont bien.

On peut donc considérer qu'une infection virale est un vecteur de changement d'ADN, un vecteur de mutation de l'individu qui peut donner :

– si cela ne marche pas bien un lymphome, un cancer, un phénomène auto-immun, une mort cellulaire,

– si cela marche un changement structurel, touchant aussi bien le corps que l'esprit.

2) LES IMPACTS PROBABLES DES VACCINS

Modification du terrain.

Cf Louis Claude VINCENT et la Bio-Electronique (dossier en fin de document)
Cf l'homéopathie...

"Pureté" du produit inoculé.

L'injection de germes ou de virus responsables de maladies en phase chronique, à la lueur de ce qu'on vient de dire, nous amène à revoir toute notre interprétation. Comme le scandale du sang contaminé. Y-a-t'il effectivement contamination si le virus n'est qu'un témoin ? Y-a-t'il faute ? Tout est à revoir. Y compris ce qu'est réellement un vaccin, ce que sont les souillures, ce qu'on met dedans par hasard ou intentionnellement ?

Il y a des interleukines dans les vaccins, dont l'interleukine 6 (un médiateur très important de la réaction inflammatoire) parfois à doses élevées. On y trouve aussi des facteurs de croissance, y compris des facteurs de croissance de cellules blanches (GMCSF). Cf Gearing A.J.H. et coll : "demonstration of cytokines in biological medicines produced in mammalian cell lives"/LANCET 1989 - ii 1011-2.

Il y a bien sûr des protéines étrangères, des bouts d'ADN cancéreux des cellules de culture, des virus, soit ceux que l'on veut inoculer, soit des virus parasites venant des cellules de culture (virus animaux comme par exemple le virus de la rage dans le vaccin R.O.R.). Cf HATASAWAR; : "evidence of Pestivirus RNA in Human Virus Vaccines..." J.Clin. Microbiol 1994, 32(6), 1604.
Le virus à ARN de la peste apparu par recombinaison génétique dans le même vaccin ROR (pas par souillure). Cf l'Impatient hors-série N°11 / juin 1996.
On a une somme d'information colossale, dont on ne sait pas si elle est cohérente (le plus souvent elle ne l'est pas), et qui peut provoquer des dislocations au niveau chromosomique, enclencher des programmes que l'on n'est pas du tout en mesure de contrôler, qui peuvent être discordants. Avec de toutes façons une immunisation contre les médiateurs de notre système immunitaire ce qui veut dire maladie auto-immune (exemple = sclérose en plaques). Comme les interleukines et les facteurs de croissance : personne ne sait s'ils sont en quantité suffisante pour déclencher une réaction ; l'information nécessite juste l'empreinte dans l'eau...

On peut se demander si ces souillures sont la résultante des manipulations humaines lors de la préparation des vaccins, ou si les noyaux cellulaires ont émis des rétrovirus (en présence de distilbène ou de dioxine). Cela a été observé, un article est paru dans Médecines Nouvelles courant 95.

Le problème est donc la combinaison d'actions entre substrats protéiques, virus, enzymes ou autres, et entre les virus eux-mêmes. La mort subite des nourrissons est un des aspects du problème. Au Japon, depuis qu'on a repoussé la vaccination au-delà de deux ans, il n'y a pratiquement plus de mort subite du nourrisson. Il y a les travaux russes de BOCHIAN qui ont montré que même avec l'injection de SUBSTRATS comme la mélitine, la tuberculine, ou d'autres macérats de protéines, c'est-à-dire simplement des parties d'enveloppes des germes, ou bien à partir de germes tués, on pouvait de nouveau obtenir des germes vivants entiers. Cf brochure "Sciende d'aujourd'hui, médecine de demain" par le Dr Yves COUZIGOU édité par la Ligue pour la Liberté des Vaccinations. Cf également les cahiers de BIOTHÉRAPIE n°18 et n°28. La prétendue stérilisation et inoculation de ces "enveloppes" n'est donc pas du tout anodine, on ne peut pas se protéger en disant qu'on n'injecte pas la bactérie ou le virus, puisqu'ils peuvent être reconstruits dans l'organisme à partir d'un fragment, ce qui est conforme avec la théorie hologrammique de l'information. Cela fait 30 ans que c'est connu et publié.

Changement d'aspect des maladies.

On prétend que la polio a disparu grâce aux vaccinations, (ce qui en fait est bien loin d'être évident lorsqu'on observe les chiffres officiels fournis par l'OMS entre le nombre de cas de polio et l'évolution de la couverture vaccinale) mais on observe :

– des syndromes paralytiques chinois,

– des syndromes de Guillain-Barré,

Ces deux types de syndromes seraient des variantes de la poliomyélite paralytique. Cf Le LANCET du 8 octobre 1994 (Yan Shen et coll.)

– des scléroses en plaques (SEP),

– toutes sortes de maladies démyélinisantes comme la Sclérose latérale amyotrophique aussi fréquente que la SEP,

– ou chez les sidéens une Leuco-Encéphalite Multifocale Progressive (LEMP), à rattacher à un virus que l'on vient tout juste d'identifier, de la famille du virus SV40 (qui a contaminé le premier vaccin polio SALK - et dont on utilise les enzymes et fragments génétiques pour les manipulations génétiques). Cf PANORAMA DU MÉDECIN octobre 1995.

Il semble bien qu'il puisse exister un banal changement d'aspect des maladies contre lesquelles "on se protège" ! Comme les maladies auto-immunes, qui touchent beaucoup le système nerveux.

Il y a par ailleurs ABSENCE DE CORRELATION entre le TAUX d'ANTICORPS obtenu et la PROTECTION IMMUNITAIRE. C'est un leurre complet, pour les médecins. Il ne suffit pas d'avoir des anticorps pour être protégé. On confond ANTICORPS/PROTECTION HUMORALE et PROTECTION CELLULAIRE.

On immunise des gens contre l'enveloppe protéique, l'extériorité de l'information, alors que l'intériorité de l'information, ce qui est signifiant et chargé de sens, rentre dans l'ADN cellulaire. On sait que l'ADN lui-même n'est pas immunogène. Alors qu'on envisage des techniques d'injection d'ADN nu, qui est sensé provoquer une réponse immunogène active cellulaire et humorale. Ce sont, à l'heure actuelle, les voies de recherches. Il y a là des contradictions très importantes. Confusion entre taux anticorps et protection (Sida, chlamydiae, BW test diagnostic de syphilis...).

L'immunologie se révèle encore bien chaotique. Ainsi, le mystère de ces solutions de chlorure de sodium où l'on découvre des ESCHERICHIA COLI, arrivés là non par souillure mais par mode informationnel (onde de nature électromagnétique), et qui restent dans ces solutions à un certain niveau de dilution. Lorsqu'on injecte ces solutions à des cobayes sensibilisés à la tuberculine, cela donne des arrêts cardiaques. Cf les travaux de jacques Benveniste. "Un cas de censure dans la science" par Michel Schiff. Il y a un couplage - sensibilisation - informationnel avec du coli à une certaine dilution et cette sensibilisation chez des sujets dont le système immunitaire doit être fragile et tuberculinisé. Interaction entre colibacillose et tuberculose.

C'est le cas des sidéens, chez lesquels on voit réapparaître le toxoplasme ou le BK (agent de la tuberculose) à la fin, sans qu'il soit vraiment question de contagiosité extérieure. Dans ce cas précis, on accepte que les maladies soient des réactivations de l'intérieur, et non des suites de contaminations extérieures. On rejoint ici les travaux de Béchamp et Naessens qui insistent sur l'état du terrain permettant la manifestation de la maladie.

ABSENCE DE CONTROLE.

L'état du système IMMUNITAIRE n'est pas vérifié avant et après vaccination. Malgré les incitations depuis des années à contre-indiquer les vaccinations (à virus vivants ou BCG) chez les séropositifs par exemple...
On pourrait rajouter le typage tissulaire qui permettrait presque à coup sûr d'éliminer les sujets risquant de développer une sclérose en plaques suite aux vaccinations virales ou par génie génétique.

Les vaccinations n'ont rien à faire de l'efficacité. Elles n'ont rien à voir avec une méthode scientifique.

Personne ne vient faire le point des désorganisations de la personne après les vaccinations.

Toute cette tactique vaccinale devient totalement aberrante face aux travaux de Béchamp, Tissot et Naessens. A signaler des articles d'un professeur d'université canadien qui s'appelle SONEA, qui parle du téléphone cellulaire et du monde microbien en tant qu'entité et en tant qu'unité, et qui dit la même chose, à savoir que les virus sont présents dans les bactéries à l'état de prophages et ne sont que des informations libérées par les bactéries quant elles font le téléphone cellulaire. Là aussi, c'est un responsable d'un secteur de biologie à l'université de Montréal, et il dit ouvertement : "Si on dérègle le monde bactérien par notre intervention, cela peut aller jusqu'à compromettre la vie sur terre". *Cf S. SONEA et M. PANISSET : "Introduction à la nouvelle bactériologie" / Presses de l'Université de Montréal / Montréal 1980.*

3) LES CRISTAUX LIQUIDES.

Cf JIM n°347 du 26 avril 1995.

Il faut savoir que les techniques de l'an 2000 s'orientent vers l'injection d'ADN nu... C'est-à-dire les séquences d'ADN répétitives, en boucles, qui sont les supports d'informations sur lesquels on va greffer, en couronne, soit des séquences d'ADN viral, soit des gènes codants pour des protéines virales ou bactériennes. C'est-à-dire essayer d'injecter de multiples informations sur un support ADN lui-même informatif. L'ADN de base peut être un ADN synthétique.

Il faut savoir que 90 % de notre ADN apparemment ne sert "à rien" (= pas pour la synthèse protéique). Il y a des séquences itératives dont on ignore l'utilité. S'agit-il de gènes pour le futur, favorisant l'évolution ? Ce sont sans doute des potentialités d'évolution. Potentiel énorme. D'énormes parties de nos noyaux cellulaires n'ont pas une fonction claire reliée à la forme, à la structure. Leurs fonctions sont sans doute reliées à l'organisation, à l'interaction et à l'évolution. On ne sait pas quoi en faire, car on ne peut pas les approcher par la méthode de dissection ou sous l'angle de la méthode expérimentale.

Ces techniques d'injection d'ADN nu ont déjà commencé, soit en IM, soit en JET sur des billes d'or (pistolet sous pression)... On observe une réponse aussi bien de l'immunité cellulaire, les L.A.K. (cellules tueuses = lumphocytes activés / lignées toxiques utilisées pour la lutte contre le cancer ou les infections virales), que des immunoglobulines (anticorps). La réponse est donc à la fois humorale et cellulaire, ce qui apparaît très encourageant mais pose beaucoup de questions. (Cf JIM n°347 du 26 avril 1995).

L'intégration de ce patrimoine génétique à nos cellules se fait très rapidement, et on ne peut plus contrôler ensuite les synthèses protéiques qui se font, puisqu'elles sont intégrées à notre patrimoine. Il s'agit de substances étrangères pouvant éventuellement avoir une interaction entre elles. On envisage en effet de faire des vaccins hexa ou hepta-valents.

Le problème est de savoir si cette technique va mettre en jeu la totalité de l'organisme et sa descendance, ou bien rester simplement limitée à certaines cellules de l'organisme (en mosaïque). Et dans quelle mesure, même dans cette dernière hypothèse favorable, n'y aura-t'il pas de modifications immunitaires par rapport aux ADN inoculés, ou par rapport aux protéines antigéniques fabriquées par nos propres cellules, soit précocement, soit à la longue, et éventuellement transmissibles aux descendants ?

Il s'agit d'une information ADN, intégrée à notre patrimoine, avec les gènes ou l'ADN complet, sans la protéine d'enveloppe. Cette information est donnée en INTRAMUSCULAIRE, et ne toucherait donc pas toutes les cellules à la fois ? Est-ce que l'organisme est capable d'isoler ?

Sommes-nous véritablement capables de vérifier et maîtriser complètement ces informations sur ces boucles d'ADN ? C'est-à-dire de faire des ADN de synthèse et d'en connaître la programmation possible.

N'est-ce pas l'installation d'une antenne à l'intérieur de notre organisme, programmable de l'extérieur, malléable ?

Il faut savoir qu'il existe des recherches sur ce qu'on appelle les cristaux liquides. L'ADN est un cristal liquide, modulable dans sa structure. Il fonctionne comme un ordinateur. On se demande si les techniques actuellement développées en médecine vétérinaire pour l'identification animale (injection sous-cutanée de TRANSPONDEURS = micro-ordinateurs identiques à des cristaux liquides) ne seraient pas appliquées aux humains ! Ces transpondeurs, à partir d'une influence extérieure électromagnétique, permettraient d'agir à l'échelle cellulaire - c'est-à-dire inconsciente -, avec soit des émetteurs, soit des antennes télé, soit des satellites. C'est-à-dire des techniques d'actions de masse sur les gens, avec une antenne cellulaire qui court-circuite la conscience individuelle. Il y a des journalistes qui se posent très sérieusement la question, notamment au Québec et aux USA. *Cf dossier "Vaccinations, médecine expérimentale et cristaux liquides" de Serge Monast, journaliste, C.P. 177, MAGOG - Québec. J1X3W8. Canada.*

Cette histoire d'antenne à l'échelle cellulaire est à envisager un peu comme un micro-ordinateur ou une antenne télé, qui capte une information et la retransmet en images. Sauf que là, il s'agit d'informations X.

C'est peut-être de la science fiction. A moins que la science fiction ne soit déjà très en dessous de la réalité.

Il existe en effet une multinationale, *cf Serge MONAST (opus cité)* la TEXAS INSTRUMENTS, qui met au point les transpondeurs injectés chez les animaux qui servent actuellement à l'identification animale sur la planète entière. Des millions et des millions de transpondeurs sont déjà en place. On peut y coder toutes les caractéristiques génétiques de l'animal, ainsi que d'autres informations dont on pourrait avoir besoin, comme ses vaccinations, les aliments ingérés, ect...

Les journalistes québécois ont mis en parallèle l'utilisation des transpondeurs et ces recherches et travaux sur les cristaux liquides...

D'autant plus qu'on a poussé tout le monde à se faire vacciner contre la méningite, alors qu'il ne s'agissait pas d'un problème de première importance, et qu'on a usé là-bas d'un protocole spécial. On a demandé à toutes les équipes pratiquant les vaccinations de remplir un questionnaire très précis où l'on retrouve une liste d'une vingtaine de complications possibles. Ce vaccin est pourtant présenté comme anondin chez nous. Mais chez eux, il y aurait des tas de complications possibles, d'où les cases du questionnaire à remplir et en particulier en ce qui concerne :

– les chocs, collapus... Il était prévu à proximité tout le nécessaire pour une éventuelle réanimation (seringues prêtes)...

– et les maladies démyélinisantes.

S'il s'agit d'une vaccination si anodine, pourquoi a-t'on demandé à ces centres d'avoir des conditions si rigoureuses, et ces mesures de sécurité et d'observation exceptionnelles ?

Il faut signaler par ailleurs qu'on a vacciné de force contre l'HÉPATITE B des populations entières au Nord Canada, sans explication, sans même l'autorisation des parents. Il y a eu un certain nombre de morts parmi les enfants, mais on n'a fourni aucune explication. Viols délibérés de la liberté individuelle, atteintes corporelles avec des décès, mais aucun justificatif des besoins, ni explications. *Cf Médecines Nouvelles n°77, 2ème trismestre 1995. p. 79/80 : "Vaccinations HVB et MSIN".*

Pourquoi insiste-t-on tant sur cette vaccination qui ne paraît pas être un problème de santé publique a côté de celui du cancer, de la malnutrition... ?
Surtout quand on sait que 90 % des malades de l'Hépatite B guérissent spontanément en quelques semaines, que les complications touchant les 10 % restants se feront sentir sur 10 à 30 ans (hépatite chronique et cancer du foie) sans qu'on puisse éliminer d'autres facteurs dans la responsabilité de la maladie.
Et qu'enfin les Africains disposent d'une plante (le Desmodium ascendens) qui soigne très rapidement toutes les hépatites aigües, virales ou toxiques, sans aucune toxicité !!!... (plante disponible en France par ailleurs).

De tout cela résulte la dernière question : N'est-on pas en train d'injecter aux gens - avec le vaccin Hépatite B - non seulement les protéines de la capsule du virus, mais aussi d'autres informations, probablement des cristaux liquides (boucles d'ADN de synthèse), permettant de programmer toutes les personnes de l'extérieur à un moment donné, pas forcément tout de suite ? Mais le dispositif serait en place.

Jacqueline BOUSQUET intervient ici pour nous rappeler que le mécanisme de la mitose cellulaire humaine fonctionne grâce au centriole cellulaire qui est analogue aux cristaux liquides.

EN DÉFINITIVE, LE PROBLÈME EST DE SAVOIR SI LES AVANCEES TECHNOLOGIQUES SONT SUFFISANTES POUR AVOIR UNE CONNAISSANCE PRÉCISE DU MODÈLE ADN A INJECTER, AFIN DE CONTRÔLER LES CONSCIENCES ? ET IL EST BIEN DIFFICILE DE SAVOIR EXACTEMENT CE QU'IL Y A DANS CES VACCINS...

CONCLUSIONS ET PROPOSITIONS !

Il est improbable qu'on soit capable de mettre au point des mécanismes de programmations génétiques qui altèrent profondément la directive de la conscience si celle-ci est bien installée. Les informations de ce genre sont d'un bas niveau vibratoire. On en revient toujours à la hiérarchie vibratoire ! Donc un être dont la conscience est pleinement développée et ancrée dans son identité doit être capable de reprogrammer lui-même les cristaux en question. Même s'il reçoit des informations venant de "l'extérieur" qui le perturbent, il est en droit d'y obéir ou de s'y soustraire. Et de rester dans la dynamique de sa conscience.

Il faut cependant constater que nous baignons 24 h sur 24 dans un "bouillon" d'informations électromagnétiques très diverses allant des postes de télévision et appareils électroménagers, aux radars, satellites, ondes radio et téléphone... et que nos cellules doivent continuellement faire le tri dans ce "bruit de fond" pour ne pas être déréglées!
Si nous ajoutons à ce "bruit de fond" les stress de la vie de tous les jours, les peurs diverses d'insécurité matérielle (travail, maison, nourriture), les toxicités chimiques (de l'air et de l'eau, des aliments, des médicaments) l'adaptation à la vie sociale dans nos pays devient difficile...
Sur une situation aussi instable, la peur est facile à manipuler, autant que l'information par voie médiatique : peur de la maladie et du SIDA, peur des sectes et de tout ce qui peut ressembler à un discours philosophique ou spirituel. C'est ainsi qu'on peut rapprocher

homéopathie, médecine de terrain et manipulations psychiques, "sectes diaboliques"... en mettant de côté délibérément toutes les découvertes scientifiques "pointues" appliquées à l'information (en biologie et en physique), et à l'homme considéré dans sa totalité physique, psychique et spirituelle.
Certes ces abus existent, ces manipulations de conscience sont des faits non contestables, mais elles sont probablement de doux amusements en regard de ce qui peut être fait *techniquement* à grande échelle.

Face à cette désorganisation galopante que nous voyons œuvrer tous les jours chez les malades porteurs de troubles profonds de l'immunité (de l'identité donc), il est possible de proposer un certain nombre de mesures pour réinstaller l'ordre et la cohésion intérieure par soi-même, et dans sa vie :

– restaurer une hygiène de vie corporelle saine en entretenant régulièrement sa respiration (activités physiques et sportives, jardin) et ses muscles... pour être un peu plus dans son corps, relâché...
Le corps est comme les racines de l'arbre de la conscience, c'est lui qui stabilise, ancre à la Terre, et donne la confiance et le bien être.

– rectifier sa nourriture et ses boissons pour diminuer les excitants (thé, café, alcool) et les produits animaux, augmenter les produits crus et les huiles de 1ère pression à froid, les poissons gras. Essayer de choisir des produits d'origine biologique... (ce n'est pas toujours aussi cher qu'on le dit).

– garder une activité ludique (jeu) et créative en même temps pour laisser les émotions refoulées ou bloquées se transformer en force d'épanouissement : chant choral, peinture de mandalas, tissage, danse, poterie ou jeux d'échecs, de scrabble... Ils permettent à la fois l'échange, l'écoute et le recentrage, la réorganisation intérieure ; et aussi d'exprimer le beau, le vrai et le bon qui sont en nous.

– prendre le temps du silence périodiquement, pour faire le point sur sa vie, consigner *par écrit* (pour soi-même) le rêve ou l'idéal de sa vie : les valeurs les plus élevées, l'axe de son existenc, ce qu'on a besoin de vivre avant de mourir pour passer "le portail de l'au-delà" la tête haute...

– prendre le temps de lire (plutôt que d'appuyer sur le bouton de la télévision par lassitude le soir, pour oublier) et d'ouvrir sa conscience à d'autres dimensions, d'autres expériences... sans la peur de se perdre !

– regarder autour de soi, dans son habitat pour le rendre plus beau, plus soigné : notre lieu de vie est comme une deuxième peau, il nous renseigne sur notre état intérieur et nous fournit le *travail pratique* de réharmonisation intérieur/extérieur... Par exemple ranger sa cave ou ses placards, désencombrer un garage, refaire une chambre à son goût, ramener la lumière dans un coin sombre, soigner les plantes et les arbres... etc.

– se relier aux autres, pour *offrir* de soi, de sa disponibilité, de ses compétences, de sa tendresse... Le monde change grâce au DON, à la gratuité, il s'épuise dans l'opportunisme et le marchandage...

Concernant les vaccinations, on peut en faire la neutralisation ou la détoxication par homéopathie, même si c'est parfois difficile, ou longtemps après ; ça n'est pas toujours suffisant mais beaucoup d'asthmes et de maladies auto-immunes sont déjà très améliorés par ces pratiques ! Et pour dépister, avant vaccination, on peut s'aider d'une étude du système immunitaire (bilan lymphocytaire) et du système HLA (groupes tissulaires spécifiques, héréditaires), ainsi que des antécédents personnels et familiaux... Et se décider cas par cas, après "pesée" soigneuse du risque et des avantages éventuels du geste !
Restent la rigueur et l'ouverture que chacun de nous peut garder au long des années, c'est-à-dire la volonté à garder sa direction, son but dès qu'on en a une vue un peu plus claire...

Il faudrait déjà pouvoir obtenir l'arrêt de la campagne "obligatoire" de vaccination anti hépatite B et la possibilité d'un libre choix pour chacun de se faire vacciner ou pas, selon ses croyances et son choix de vie. Ce serait déjà un grand pas vers une réelle démocratie...
Pour cela, il faut mettre à la disposition du public des informations plus complètes et objectives permettant à chacun de se déterminer plus librement... et toucher par des dossiers fournis les éducateurs, professions de santé, associations à but non lucratif et journalistes "libres" pour qu'il y ait une meilleure vision du monde tel qu'on le "construit" actuellement !
Il faudrait aussi fournir des solutions simples, car c'est chacun de nous qui oriente ce monde à chaque instant, par ses actes et ses pensées !

Rien ne saurait dévier profondément un être conscient de sa route, si cette conscience de soi et de son but sur cette Terre est bien ancrée dans le corps.

BIBLIOGRAPHIE

1) Quotidien du Médecin, 28 octobre 1994.
2) Quotidien du Médecin, 23 décembre 1993 et 3 mars 1994.
3) Lancet du 23 décembre 1995 - vol. 346, p. 1669-1671.
4) JIM n° 248 et Concours Médical du 15 avril 1995.
5) Médecines Nouvelles n° 76 - 1er trim 1995, p. 54 à 61 et n° 80 - 1er trim 1996, p. 70 à 89 (Stefan Lanka).
6) Gearing AJH et coll. "demonstration of cytokines in biological medicines produced in mammalian all lives". Lancet 1989 - ii 1011-2.
7) Brochure "science d'aujourd'hui, médecine de demain". (Dr Yves Couzicou) éditée par la Ligue pour la Liberté des vaccinations.
8) Cahiers de biothérapie n° 18 et n° 28.
9) Lancet du 8 octobre 1994 (Yan Shen et Coll).
10) Panorama du Médecin - octobre 1995.
11) "Un cas de censure dans la science". Michel Shiff.
12) S. Sonea et M. Panisset "Introduction à la nouvelle bactériologie", Presses de l'université de Montréal (Montréal 1980).
13) JIM n° 347 - 26 avril 1995.
14) Dossier "Vaccinations, médecine expérimentale et cristaux liquides" de Serge Monast, journaliste, p. 177 Magog - Québec JIX 3W8 Canada
15) Médecines Nouvelles n° 77 - 2ème trim 1995. Vaccinations MSN et HVB - p. 79-80.
16) Hatasawa R. "Evidence of Pestivirus RNA in Human Virus vaccines" J. Clin - Mibrobial 1994 32 (6), 1604.
17) "La Mafia Médicale" de Guylaine Lanctôt. Ed. "Voici la Clef Inc", BP 113 Coaticok - Québec.

ARTICLE PROVENANT DES CAHIERS DE L'EXPRESS
L'EXPRESS, 11 OCTOBRE 1990 N° 34

ÉTABLIR DES GARDE-FOUS ?

Un rapport publié, en 1983, aux Etats-Unis, par l'Office of Technology Assessment révélait que 18 grosses entreprises américaines avaient déjà pratiqué des tests génétiques pour sélectionner leurs employés, dans le cadre d'une « prévention des maladies du travail », et que 59 autres s'apprêtaient à le faire ! Susceptibilités aux maladies, fragilités mentales, réactions aux produits chimiques toxiques, espérance de vie : il sera bientôt possible de dépister tout et n'importe quoi. Comment ces informations cruciales seront-elles utilisées ? Quel impact auront les greffes de gènes sur la société, lorsqu'elles seront pratiquées à grande échelle ? Qui pourra empêcher qu'elles ne touchent, un jour, les embryons ? Doit-on laisser faire les scientifiques ou établir partout des garde-fous ?

« C'est à la société de décider, estime le Pr Daniel Cohen, du Centre d'étude du polymorphisme humain. Et, pour cela, il faut qu'elle soit informée. Ce qui est loin d'être le cas : la biologie moléculaire, par exemple, n'est pratiquement pas enseignée dans les lycées. » Les repères sont rares pour faire la part des choses. « Tout ce qui limite le droit et la liberté des individus me paraît suspect, explique Catherine Labrusse, juriste et membre du Comité national d'éthique. Si les tests et les greffes génétiques sont bénéfiques aux intérêts de celui qui les subit, alors, d'accord. Mais seulement dans ce cas. »

Protéger l'individu, contre la société tout entière s'il le faut. Tel était bien l'esprit de la Déclaration des droits de l'homme. C'est peut-être encore une urgence, aujourd'hui. En témoigne l'initiative du Pr Jean Dausset, prix Nobel de médecine, qui propose d'ajouter au célèbre texte un article qui proclamerait les droits de l'homme face aux manipulations génétiques... ●

Une note d'espoir apparaît cependant à travers un projet de rapport au parlement Européen. Ce dernier permettrait de donner un statut officiel aux Médecines dites non-conventionnelles.
Ci-dessous une note à ce sujet émanant du CDIC.

Les C.D.I.C. de FRANCE

Centres de Documentation d'Information et de Concertation sur la santé
43 Bd THIERS 21000 DIJON Tél : 03 80 48 05 24 Fax : 03 80 63 96 95

Dijon le 25 août 96

OBJET : Soutient au projet Européen de légalisation des médecines non conventionnelles.

Chers amis,

Un événement d'une portée considérable aux plans de notre santé, de nos droits et de nos deniers se prépare cet automne à Bruxelles et au Parlement de Strasbourg. Les médias n'en parleront pas ou peu et pour cause : Il dérange beaucoup d'intêrets en place.

Les conséquences positives les plus escomptables de l'adoption du projet ci-joint sont très importantes :
-Évaluation scientifique des thérapies non conventionnelles.
-Lutte contre le charlatanisme par une réelle certification des compétences.
-Rapprochement des points de vue et collaboration constructive entre médecines conventionnelles et non - conventionnelles.
- Et de nombreux autres progrès visant à la "dé manipulation" de l'information en matière de santé, le respect et l'amélioration des lois, l'implication des individus dans les actions de prévention et de guérison et l'atténuation de nombreuses pressions non désintéressées.

VOTRE CONCOURS EST INDISPENSABLE :

1 - En faisant connaître autour de vous ce projet fondamental.
2 - En alertant les élus que vous jugez réceptifs
3 - En diffusant la pétition avec vos courriers.
4 - En nous contactant si vous avez besoin d'une information complémentaire.
5 - En collectant un grand nombre de signatures de la pétition jointe, à dupliquer si nécessaire.
6 - En recherchant la signature et l'aide de personnes influentes.
N. B. Pour l'expédition de ces pétitions :
Le plus tôt sera le mieux. La date butée étant le 30 octobre 96.
Après avoir collecté vous même les signatures, vous pouvez adresser les originaux à :CDIC de France 43 Bd Thiers 21 000 DIJON
Il est prudent d'en faire une copie.
7 - Les personnes entreprises ou associations qui souhaitent écrire personnellement aux députés, peuvent demander au CDIC de Dijon les adresses pour les quinze nations membre. Elles vous seront adressées contre 15 Fr. en timbres. Le projet lui-même peut vous être adressé pour le même prix.
8 - Votre aide financière nous sera aussi très précieuse. Elle nous permettra d' amplifier les actions en cours et d'être nombreux à être présents lors des débats et séances de vote. Vous pouvez adresser vos dons au CDIC de Dijon en précisant au dos du chèque : "soutient au projet LANNOYE"

Avec tout nos remerciements pour votre contribution.

Pour le bureau des CDIC de France
Jean - Claude LANDY

Tampon du service émetteur
de la pétition

C.D.I.C. de FRANCE
43, Bd Thiers - 21000 DIJON
Tél. 80 48 05 24 - Fax 80 63 96 95

>> APPEL <<
AUX PARLEMENTAIRES EUROPEENS

POUR UN STATUT DES MEDECINES NON CONVENTIONNELLES

Usagers des médecines non conventionnelles, nous pensons qu'il est indispensable de sortir de l'ambigüité juridique dans laquelle se trouvent les différentes médecines dites " *alternatives et complémentaires* ". Considérant qu'il convient de respecter notre liberté d'accès aux thérapeutiques de notre choix, moyennant toutes garanties utiles quant à la sécurité de ces thérapeutiques, nous estimons urgent de prendre les dispositions législatives qui s'imposent et d'assurer l'harmonisation du statut de ces médecines au niveau européen.

Cette harmonisation doit passer par des études scientifiques, réalisées au niveau communautaire, permettant de bien définir chacune de ces médecines et d'apporter la preuve de son efficacité. Il est nécessaire également de prendre des dispositions pour harmoniser à un haut niveau de qualification (de type universitaire) les formations des professionnels de ces médecines, formations qui doivent être sanctionnées par des diplômes d'Etat. Enfin, il faut réviser la législation européenne en matière de médicaments, prévoir une adaptation de la pharmacopée européenne à ces médecines et réfléchir aux modalités de leur prise en charge par l'assurance maladie.

Les signataires de cet appel tiennent donc à apporter leur soutien au rapport de M. Paul LANNOYE, député au Parlement européen, parce qu'il propose de définir le statut des médecines non conventionnelles en ce sens.

Ils vous demandent donc d'apporter votre voix afin que ce "*rapport sur le statut des médecines non conventionnelles* " puisse être adopté par le Parlement européen.

NOMS	ADRESSES	SIGNATURES

- DOSSIER -

LA RECHERCHE

Les puces vont bientôt

GOUVERNER !

par Serge Monast

Cet article est tiré d'une conférence qui fut donnée par Serge Monast et sa teneur nous amena à l'insérer dans la revue.
Lisez ! Il s'agit de la transcription fidèle des explications du conférencier. C'est très... convaincant et même si cela vous semble fou, je vous invite à relire certains articles de "ETRANGETES et MYSTERES" et "REVELATIONS".

Bienvenue à cette conférence tout à fait spéciale du 15 décembre 1993 à Montréal, donnée par l'Agence Internationale de la Presse Libre, dont les activités sont uniquement axées sur le journalisme d'enquête internationale aux niveaux économiques politiques, militaires et médicaux.

Aujourd'hui il s'agit d'un sujet tout à fait spécial. Même, devrais-je dire, assez invraisemblable, parce-que, même nous à l'Agence, il n'y a pas seulement deux semaines de cela, on n'en avait jamais entendu parler; on ne pouvait même pas se douter que l'information, dans le sens de ce qui nous a été présenté, pouvait exister quelque part. Cette information concerne le Micro Chip Biologique d'Identification Internationale. Qu'est-ce que c'est au juste?

A quoi cela sert-il? Quelle est sa définition?

Donc, des confrères américains ayant réussi à obtenir des informations de source sûre, (ces informations sont vérifiables), nous envoyèrent des documents audio, des photographies et un dossier de presse complet, provenant de publications produites depuis les années 89-90 dans des journaux officiels aux Etats-Unis, ainsi que dans des journaux religieux. Et cela concerne le "Contrôle Electronique Direct de tous les individus". Sur toute la planète de manière à ce que qui que ce soit n'ayant pas reçu ce genre de nouvelle identification ne pourrait, sous un Gouvernement Mondial (type dictature internationale), ni acheter, ni vendre quoi que ce soit. On pourrait croire que l'on a affaire à de la science fiction, qu'on nous raconte des balivernes, mais lorsque l'on se retrouve devant des documents écrits, avec des références à ces documents, et des documents vidéo, provenant des compagnies qui fabriquent ce nouveau dispositif électronique, on peut difficilement en douter.

Selon Terry L. Cook, journaliste chrétien d'investigation sur la côte ouest américaine; celui-ci se référant à Tim Willard, éditeur du magazine "Future Society", la technologie cachée derrière le nouveau Micro-Chip humain n'est pas très compliquée et, avec un peu de raffinement, pourrait être utilisée dans une large variété d'applications humaines. D'une manière plus que convenable un numéro pourrait être assigné à chacun dès la naissance, et faire partie intégrante de la vie de celui-ci jusqu'à sa mort. Vraisemblablement, cette puce électronique pourrait être implantée sur le revers de la main et celle-ci pourrait servir de "carte d'identification universelle"; ce qui remplacerait les cartes de crédit, les passe-ports, les permis de conduire, etc ...

Au supermarché, il ne suffirait que de "passer le poignet au-dessus d'un scanner" pour effectuer ainsi un débit direct sur notre compte bancaire! (Vu dans un film de la société
AT&T). D'ailleurs, en ce moment même, en 1993, une compagnie américaine, la DESTRONIDI du Colorado, fabrique et annonce ses "puces électroniques d'identification" (LD.I.CHIPS), globalement via INFOPET et d'autres distributeurs nationaux et internationaux.

Ces puces, pour l'instant, sont utilisées

pour repérer, contrôler et identifier les animaux de ferme, les animaux domestiques, les oiseaux, les poissons et tout produit manufacturé. Actuellement ce nouveau système se répand à la vitesse de l'éclair sur toute la planète. Aujourd'hui, le Numéro d'Assurance Sociale se compose d'une série de 9 chiffres. Selon d'autres informations reçues, ce système sera bientôt remplacé, (avec l'aide des nouveaux ordinateurs), par une série internationale de 18 chiffres numériques : le "MESH-BLOCK", une configuration internationale qui permettra de repérer n'importe qui sur la planète.

Cette nouvelle série de 18 chiffres sera divisée en 3 parties, c'est à dire, 3 séries de 6 chiffres chacun, (soit 666). Au moment où vous apprenez ces nouvelles informations, ces implants de puce électronique (aussi appelées "TRANSPONDERS") sont partout répandues sur la planète pour le contrôle de l'industrie animale.

Un Transponder, c'est un récepteur-émetteur radio ou radar activé pour la transmission par la réception d'un signal prédéterminé. Donc cela paraît peut-être invraisemblable, mais je dois vous dire que nous avons été complètement époustoufflés, que nous nous demandâmes où nous pouvions nous trouver exactement en lisant ces informations.

Est-ce que c'était une espèce de coup monté? Qu'était-ce au juste? Nous fûmes bien obligés de nous rendre à l'évidence, avec les informations qu'on a reçues, les dossiers de presse, que nous avions affaire à quelquechose d'excessivement sérieux et quelquechose qui, du jour au lendemain, non seulement permet l'établissement d'un gouvernement à l'échelle mondiale, un Nouvel Ordre Mondial comme le président Bush en a parlé à un moment donné, mais qu'elle permet le contrôle individuel direct, de chaque individu sur la planète, qui serait enregistré avec ce système. Et d'après les informations que l'on a reçues, il est évident que ceux qui comptent l'implanter d'une manière obligatoire au niveau des populations sont en train de structurer les nouveaux paramètres internationaux, la nouvelle télémétrie économique, de manière à ce que tout individu qui n'aurait pas cet implant électronique ne pourrait ni acheter, ni vendre quoi que ce soit, sur toute l'étendue de la planète.

Il n'y aurait aucune possibilité de passeport ou de quelque autre identification, ou moyen, pour être capable de s'en sortir, ou de survivre, d'acheter des médicaments, d'acheter de la nourriture, d'acheter une voiture, de faire des transactions financières ou autres. Pour mieux comprendre ce que peut être ce Micro-Chip Biologique d'identification internationale, j'ai ici une définition de la compagnie qui l'a fabriqué (parce-qu'il y a plusieurs compagnies impliquées dans ce système de fabrication). Il y a la compagnie DESTRONIDI, il y a aussi pour relier ses composants la compagnie TEXAS INSTRUMENTS (qui est connue par beaucoup de personnes qui vont se servir de ses calculatrices et de nouveaux éléments de haute technologie); et la compagnie TAROVAN, qui est la compagnie du système d'identification électronique aux Etats-Unis.

Ensuite il y a la compagnie AVID qui fabrique, elle aussi ce qu'on appelle un Tag (c'est à dire une espèce de médaille d'identité qui est remplacée par cette puce électronique et qui fait partie de l'AMERICAN VETERINARY IDENTIFICATION DEVICE, des appareils d'identification pour le monde vétérinaire aux Etats-Unis).

Donc, la définition, l'explication qui m'a été transmise par des journalistes américains est celle-ci : l'implant Micro-Chip d'identification est un mécanisme, un appareil d'indiscrétion, d'abus de la vie privée, et il est inséré avec une unité (un module si vous voulez), qui peut s'enfoncer dans une très petite région de la peau, en utilisant de l'air comprimé. En d'autres mots, on injecte cette puce électronique, qui n'est pas plus grosse qu'un grain de riz, à l'aide d'une seringue à air comprimé.

L'inclinaison de cet appareil d'implantation est une aiguille hypodermique, mais n'ayant qu'une pénétration limitée, et qui ne pourrait aucunement opérer si l'angle ... n'était pas approprié. Cette unité, en Allemagne, émet le signal qui est digital et qui consiste en des jaillissements de 85 databits, des pièces de données.

Ceux qui s'y connaissent un peu dans le monde des ordinateurs vont très bien comprendre ce genre de langage, à quoi peut correspondre un "85 data-bits". Donc, cette puce produit un signal digital analogue, créé à des intervalles spécifiques. C'est un signal de localisation. La technologie pour cet appareil est hautement sophistiquée, ce qu'on appelle "High-Tech Classifiée" (cela veut dire que c'est de l'information qui n'est pas publiée) et elle n'est pas soumise aux transmissions digitales normales et analogues. Cet appareil fournit des informations vitales, de même qu'il sert de mécanisme de localisation. Qu'est-ce que cela veut dire? Cela veut dire que l'appareil peut être codé, programmé, pour fournir des informations complètes avec un numéro d'identification, comme votre date de naissance, votre nom, votre numéro de permis de conduire, votre numéro d'assurance sociale et d'autres informations semblables. C'est un appareil de localisation parce-qu'il peut être repéré, donc la personne qui le transporte sur elle peut être repérée, n'importe où, n'importe quand, 24 heures par jour, par un service de détection.

Cet appareil, d'après ce qu'on nous a rapporté, a déjà été expérimenté et implanté dans des organismes de bébés, de militaires, de messagers du gouvernement, et sur du personnel constitué travaillant à la Maison Blanche dans des sections de haute sécurité. On nous rapporte aussi qu'il fut utilisé pendant la guerre du Golfe et fut publiquement montré à l'émission, très connue aux Etats-Unis, TWANY&TWANY, en août 1991. Ceux qui pourraient revoir cette émission, qui est passée sur un réseau national américain, pourraient vérifier que l'information a réellement été diffusée, nous en avons une copie ici.

JACK DUNLOCK, un détective privé de TUXON, en Arizona, est arrivé, lui, avec le concept des enfants perdus, c'est à dire de mettre un appareil, (qu'il a appelé un KID-SCAN) afin de localiser les enfants qui sont perdus ou les enfants qui sont enlevés.

Il suffirait, comme il le rapporte, d'incorporer et d'implanter le Bio-Chip, cette puce biologique électronique, à l'intérieur de la peau de l'enfant, de façon que cette puce puisse transmettre un signal, qui serait capté par des satellites et retransmis sur un écran d'ordinateur, en cartographie assistée par ordinateur aux quartiers généraux des différents corps de police. Les parents ayant un enfant perdu, comme il l'explique, pourraient appeler la police n'importe quand, donner leur numéro de sécurité sociale et de cette façon, l'enfant pourrait être retrouvé facilement.

Donc, je ne sais pas à quoi cela peut vous faire réfléchir. On peut penser au "Meilleur des Mondes", et on peut penser à d'"autres volumes semblables qui paraissaient totalement impensables lorsqu'ils ont été publiés la première fois. A l'heure actuelle, avec une technologie de cette trempe, on arrive vraiment à la possibilité du contrôle complet des individus sur la planète, et qui permet l'instauration d'un gouvernement mondial sous l'égide des Etats-Unis.

Willard, le même bonhomme, considère aujourd'hui que le Micro-Chip en question sera remplacé dans la prochaine décade par un Bio-Chip, une puce, mais fabriquée à partir de protéines vivantes. Et ce que je vous dis là sont des choses sur lesquelles des personnes travaillent actuellement et selon certaines informations qu'on a reçues, il semblerait que ce genre de Micro-Chip composé de protéines vivantes, serait déjà en stade d'expérimentation à l'heure actuelle.

Donc, de la façon dont il l'explique, cette puce pourrait être infiniment plus petite et avoir la capacité de renfermer une foule d'informations. Il ajoute qu'elle aurait le potentiel de pouvoir agir sur la mémoire ou la pensée d'un individu.

Mais il fait quand même remarquer au

bout de la ligne que cette très belle invention, cette haute technologie serait en même temps excessivement dangereuse pour la vie privée.

A partir du moment où un système semblable est en existence et qu'il est en application, la vie privée n'existe plus en aucune manière (le Big Brother, NDLR). Parce-que le Micro-Chip biologique d'identification internationale est à même de pouvoir faire disparaître toutes les cartes d'identité existantes et toutes les cartes de crédit et autres qui peuvent exister à l'heure actuelle parce-que, avec cette puce, on pourrait être à même de s'en servir comme identité universelle à l'intérieur de laquelle on aurait toute l'information sur le nom, l'adresse, le numéro de permis de conduire, le numéro d'assurance sociale, le numéro de sécurité sociale, .., le numéro de passeport, tout pourrait y être inclus.

Selon Willard, une puce électronique, une puce d'identification électronique humaine, travaillerait beaucoup mieux et pourrait être centralisée. C'est à dire qu'elle pourrait être localisée par un ordinateur central. Ce qui permettrait de ne jamais perdre trace de quelque individu que ce soit sur la planète.

De cette façon, cela pourrait permettre de remplacer complètement le système monétaire actuel. Parce-que l'argent ne serait plus nécessaire. Avec un numéro semblable, plus besoin de faire de chèque, plus besoin d'avoir de carte d'identité, plus besoin d'avoir de carte de plastique, de carte de crédit et autre, tout fonctionnerait à partir de cet implant électronique sur l'individu.

Alors ces chers messieurs ont imaginé que ce serait un moyen fantastique de réduire les dépenses des banques, les dépenses de l'état, et de neutraliser une fois pour toutes tout le marché de la mafia, le marché noir, le marché de la drogue et toutes les autres formes de transferts illégaux de fond qui peuvent se faire puisque l'argent n'existerait plus.

Et les individus pourraient être repérés n'importe quand. En rapport avec un système semblable, si on se réfère à Henry Kissinger (que tout le:monde connaît au niveau de la politique américaine), celui-ci a déclaré à la conférence annuelle des Bildelberg, de 1992, à Evian en France, quelques temps après les émeutes de Los Angeles, il disait qu'aujourd'hui, les américains seraient scandalisés de voir des troupes de l'ONU entrer dans Los Angeles afin de restaurer l'ordre mais demain, ces mêmes populations vont nous remercier à genoux pour un tel acte.

Il est spécialement vrai, comme il l'explique, que si on dit aux populations :" écoutez, il y a un danger extérieur énorme qui existe", et qu'on déclare des lois en fonction d'un danger semblable, que ce danger soit réél ou non, on va être capable à ce moment là de faire passer n'importe quoi et les gens vont être prêts à l'accepter pour le bien-être de leur sécurité.

De la même façon, d'autres politiciens américains, d'autres personnes, ont imaginé qu'à partir du moment où ce qui aurait fait un scandale sans précédent au niveau de l'argent, (une crise économique sans précédent), une crise économique qui serait fabriquée de toute pièce, jetterait toutes les valeurs monétaires par terre. D'après eux, le meilleur système qui pourrait être envisagé pour remplacer une fois pour toutes le système monétaire connu jusque là, et en même temps empêcher qu'un tel chaos puisse se reproduire dans l'avenir; Ce serait justement maintenant.

Et je ne parle pas ici de la surveillance automobile, la nouvelle surveillance automobile qui est en train de s'installer sur les autoroutes, et qui fait ressortir que les nouvelles automobiles renferment des systèmes de repérage électronique, de détection, sans que les acheteurs en soient conscients, ce qui permet avec un système militaire, qui est en installation (et je pense qu'il y en a déjà d'installés à l'heure actuelle sur les autoroutes en Californie), permet d'être capable de repérer quelque voiture que ce soit passant sur cette autoroute et en même temps cela permet par un fichier central au niveau de l'ordinateur de la police, de pouvoir savoir exactement où est-ce-que vous étiez, où est-ce-qu'était votre voiture à tel moment donné.

Et les systèmes de détection sont rendus tellement précis qu'on peut même aller jusqu'à savoir qui conduisait la voiture et qu'on peut le reproduire en photo.

Donc, il n'y a vraiment rien ... pour être capable d'échapper à leur surveillance à l'heure actuelle. Selon d'autres sources d'information, d'ailleurs, on nous informe qu'à l'heure actuelle on est en train de mettre en place un peu partout sur la planète, un des réseaux les plus sophistiqués de détection, ce qui permettra un système sans précédent de surveillance de tous ceux qui auront reçu ce nouvel implant technologique (cela permettra aussi de pouvoir facilement repérer au niveau des populations, ceux qui l'auront refusé).

Ave ce nouveau Micro-Chip d'identification internationale, il sera alors possible d'imposer un nouvel ordre mondial, à l'intérieur duquel tous ceux qui n'auront pas reçu ou qui auront refusé cette marque d'identité, n'auront aucun droit, ni d'acheter, ni de vendre.

Cela veut dire quoi du jour au lendemain? Aucune possibilité de travailler, de recevoir un salaire, de pouvoir louer un appartement, de s'acheter un moyen de transport.

Comment voulez-vous vendre des objets personnels (comme c'est le cas à l'heure actuelle de quelqu'un qui aurait des difficultés financières) si l'argent n'existait plus?

Vous allez l'échanger contre quoi? Qui va accepter avec un régime de peur, imposé au niveau international, de se risquer à échanger des biens les uns par rapport aux autres? Je vous garantie qu'on se dirige vers une moyenne galère et personnellement, nous ici à l'Agence, au niveau de notre conscience professionnelle, on a pris la décision de rendre publique cette information, parceque cela va tellement loin que si on ne le faisait pas je crois qu'on pourrait se sentir personnellement responsable de ne pas avoir averti les gens à temps de ce danger qui pèse sur leur tête (mais va-t-on croire une telle affirmation? J'en doute car je fis des publications dans des numéros de Révélations et je fus critiqué par des gens non lecteurs de la revue! NDLR).

Nous pouvons affirmer que tous les hommes politiques sont au courant. Vous savez, ces gens qui prennent le pouvoir, qui sont financés la plupart du temps par ces grandes compagnies pour prendre la direction d'un pays, ou d'un holding très important (qui devient de fait un état ... dans l'état) sont au courant de ce qui se fait, puis de ce qui se prépare un peu partout. Le seul fait est qu'ils n'en parlent pas du tout aux populations parce-qu'ils considèrent que ce nouveau système, qu'on va imposer, d'ici très peu de temps est pour le bien salutaire des populations.

On a mis au point aussi, un Micro-Chip de traduction, une puce électronique pour la traduction, et, écoutez bien, "un Micro-Chip a maintenant été mis au point, ce qui permettra la traduction instantanée et simultanée d'une langue dans toute autre langue, soit au moins dans 61 autres langues et dialectes qui, par satellite, peut être diffusé partout sur la planète en même temps". Ainsi, un dictateur mondial pourra s'adresser à toute l'humanité en même temps par le biais de ce nouveau prodige de la technologie au service d'un nouvel ordre mondial. Et pour ceux qui ont encore certains souvenirs historiques, ils pourraient sûrement reconnaître ici certaines similitudes entre un "ordre nouveau" et un "nouvel ordre mondial".

Que cela nous fasse réfléchir. Un autre genre de système qui existe est la surveillance au laser. Un nouveau laser d'écoute électronique a été vérifié, défini comme très spécial, par les départements enclins à la surveillance, c'est à dire la CIA, le FBI et la IRS qu'est le revenu de l'Impôt aux Etats-Unis. Ces nouveaux dispositifs, en utilisant une fenêtre comme diaphragme peuvent suivre et enregistrer toute conversation à plus de 20 miles de distance. Tout le monde a entendu parler de l'ADN. Voici la définition biologique : acide désoxyribonucléique; donc l'ADN sera utilisée comme mémoire pour les ordinateurs et les implants de mémoire d'isolation, et là on se retrouve encore avec la haute technologie. La source de cette nouvelle biotechnologie (parce-qu'on en est rendu là dans les développements actuels) provient d'un tissu de bébé avorté. Ces tissus et les protéines de mémoire sont des items majeurs pour l'intelligence artificielle dans la marche des ordinateurs à l'heure actuelle.

Donc, avant de continuer, j'aimerais informer les gens parce-que les paragraphes suivants qui vont être lus sont excessivement durs à accepter, même s'ils se rapportent à des faits vérifiés qui existent. Et toute personne trop sensible pourrait peut-être passer par dessus ces passages. Vous allez très bien comprendre pourquoi. Ce que je veux vous dire est rapporté ici. Pour ce qui touche le premier article, par le Houselif(?) Than on Foetal Tissue Founding, qui fut rapporté par le Wenashi World du 25 juillet 1991, on peut y lire : "le gouvernement finance à l'heure actuelle des expérimentations sur des bébés avortés, morts ou vivants, des bébés avortés dans le 3 ième trimestre, âgés de 6 à 9 mois, survivent habituellement au processus d'avortement. Ceci est d'autant plus important pour ces gens, parce-que les tissus utilisés pour les expérimentations doivent provenir de bébés vivants."

Voici quelques uns des moyens utilisés lors de ces expériences et l'article suivant est un extrait de l'édition du New York Guardian de novembre 1991 écrit par le Docteur Bernard Nathanson, article qui fut reproduit par la suite dans le Midnight de janvier 1992.

Je vais vous lire cet article assez pénible : "en Suède, une procédure a été suivie par laquelle une femme enceinte est placée dans un état de sommeil. Le bébé localisé est amené jusqu'à l'utérus afin de permettre au docteur de percer le crâne du bébé vivant et d'y aspirer du cerveau les tissus devant servir aux victimes de maladie de Parkinson et d'Alzheimer. Cette même procédure est pratiquée sur des bébés vivants sur leur pancréas et leur peau, la peau devant servir pour ce que l'on appelle les grands brûlés.

Ces bébés sont écorchés vivants. L'industrie de la recherche sur les tissus de bébé est une industrie mondiale générant des revenus de l'ordre de 8 milliards de dollars."

Et pour compléter cet article, en voici un autre provenant du Macavone Intelligence Adviser de mai 1993. Il rapporte que la clinique Samsun de Santa Barbara en Californie est sur le point d'importer de larges quantités de tissu foetal, la peau des bébés avortés provenant de Russie où les femmes avortent en grand nombre, alors que les foetus en sont entre le 7ième et 9ième mois. Il semble d'après les experts que ces foetus soient ceux qui fournissent le plus de tissus humains.

Ces tissus seraient utilisés pour traiter les diabétiques. (Note de la rédaction. Il y a environ 2 ans j'ai appris par quelqu'un travaillant dans un journal, qui a le poids des mots associé au choc des photos, et qui allait souvent de l'autre côté de l'ex rideau de fer, les choses suivantes. Elle aurait vu devant elle dans des containers des centaines de foetus dans des sacs en plastique transparent dont l'âge présumé allait de 5 à 8 mois. Une discrète enquête auprès de certains membres de la mafia russe, aidé en cela par un contact bien placé, montrait que des jeunes femmes se feraient avorter pour quelques centaines de roubles, les foetus seraient envoyés dans le monde, USA, Suisse, Angleterre, France, Allemagne, afin de permettre à des chercheurs de travailler sur des tissus humains, recherche sur le génome humain, etc ...Ce trafic durerait depuis pas mal d'années et ce, en toute impunité!

Cela vous semblera fou, mais alors, pourquoi certains rédacteurs français ne voulurent pas parler de ce honteux trafic, prévenant ce journaliste qu'il risquait d'y laisser la peau?

Les photos existent; les preuves peuvent être flagrantes. Il suffirait d'oser! mais entre la mafia scientifique et le pouvoir politique, lequel tenterait de faire taire l'olibrius qui oserait?

On sait que ce honteux trafic arrive en Suisse et passe la frontière... Alors! Sachant que pour franchir des frontières il faut des documents, ces derniers sont : soit des faux, soit les passeurs sont couverts par un côté diplomatique, soit ils entrent illégalement. Dans un cas comme dans l'autre, c'est digne d'un film d'horreur ...

Je ne sais ce qu'ils peuvent faire avec des cadavres; mais toujours est-il que cela existe bel et bien!)

Un gouvernement mondial permettant le contrôle, la surveillance directe de tous les individus sur la planète, par l'utilisation d'un Micro-Chip biologique d'identification internationale c'est une chose; mais de quelle façon est-ce que ces personnes à la tête de la finance internationale, (parce-que c'est de là que tout part en fin de compte), des Illuminatis, du Grand Orient de France, (pour ceux qui ont certaines références sur ces différents groupes), comptent-ils s'y prendre par le biais de l'économie pour amener les nations à accepter, de gré ou de force, l'installation d'un gouvernement mondial par les Etats-Unis. Des collègues journalistes de la revue Monetary&Economic, revue monétaire et économique de mars 1993, m'ont fait parvenir le document suivant titré "un gouvernement mondial par assentiment ou asservissement".

La personne qui a écrit le document est un dénommé Norman N. France, économiste senior au FAMC. Il est aussi un ancien spécialiste d'affaires au Colorado Office of Economic Development et l'auteur d'un manuel de planification financière. France est un ancien responsable des prêts et chef officier des opérations dans une compagnie d'investissement. Il est aussi un expert notable dans le domaine de la finance et des investissements.

Donc, ce n'est pas un amuseur et le texte qui m'a été envoyé par le M.&E.D. démontre tout le sérieux des propos qui sont contenus dans ce texte.

Ceux qui auraient tendance à dire par sentiment de peur personnelle (parce-que c'est toujours un sentiment de peur qui à première vue fait rejeter quelquechose de tellement différent qu'on n' ose même pas y croire) devraient y repenser à 2 fois lorsque des spécialistes dans différents domaines, de différentes origines, travaillant dans différentes sphères d'activité au niveau national et international, rapportent la même chose, cela revient à accepter comme vrai ce vieux proverbe qui dit "qu'il n'y a pas de fumée sans feu".

(Ah! Si les furieux négationnistes de l'ufologie pouvaient accepter ce proverbe !!!) C'est à dire qu'on n'entend pas parler de différentes sources aussi diverses de quelque chose sans qu'il n'y ait pas un fondement à ce quelque chose. Dons, monsieur France nous rapporte ceci: "Les pressions pour un gouvernement mondial se poursuivent depuis de siècles, mais jamais encore n'avons nous atteint le degré dans lequel nous sommes aujourd'hui." Des termes de l'ONU tels qu'Autorité de loi, Loi Mondiale, Sécurité Collective, Ordre Mondial et Nouvel Ordre Mondial (ce sont des termes qu'on entend très souvent dans les années 90 et des termes qui ont souvent été répétés par le président Bush aux Etats-Unis), sont des noms de code qu'emploie l'establishment international en référence à leur plan pour un gouvernement mondial unique. Donc ces termes qu'on entend et auxquels bien souvent on n'accorde aucune importance, comme monsieur France le fait ressortir ici, sont des noms de code. Dès 1945, devant le sous-comité des relations étrangères du Sénat Américain, le partisan (et grand initié financier) d'un gouvernement mondial unique, James T. Warbird (il y en a qui ont déjà entendu ce nom quelque part) établissait l'hypothèse devant laquelle nous faisons face en proclamant : "nous aurons un gouvernement mondial que vous le vouliez ou non, la question est de savoir si le gouvernement mondial sera atteint par la raison ou par la force". Donc, c'est un financier international, initié, qui parlait ainsi à cette époque. Il y a ceux qui proposaient une approche étape par étape; Henry Morgan Todd(?) du C.F.A. un ancien secrétaire-trésorier pour F.D.AA. parlait au nom de la plupart des élitistes, du consentement quand il disait :" Nous pouvons difficilement nous attendre à ce que l'Etat - Nation, c'est à dire les différents pays, devienne superflu par lui-même." C'est-à-dire qu'il est assez bien structuré pour qu'il n'y ait pas de raisons pour lesquelles les populations le balancent par dessus bord du jour au lendemain. C'est ce qu'il veut dire. "Le but que nous devons plutôt viser est l'acceptation dans l'esprit de tous les élus responsables (c'est à dire les hommes politiques) qu'ils ne sont que les concierges d'une machine internationale en banqueroute qui devra lentement être transformée en une nouvelle machine". C'est très important ce qu'il rapporte; c'est en mars 93 que cela a été rapporté, et en décembre 93, ces élistiques, ces gens de la haute finance internationale, viennent justement de conclure et de mettre sur pied la mécanique économique qui va permettre maintenant, au niveau de tous les pays, l'instauration d'un nouvel ordre économique. Et monsieur France de continuer en disant : "L'ingrédient clé dans cette formule est de mettre en banqueroute financière la machine internationale" (Et si Bernard Tapie sans vraiment le savoir(?) entrait dans cette catégorie, cela expliquerait les facilités trop étranges pour obtenir des crédits.NDLR)

En d'autres mots cela veut dire quoi?

Cela veut dire créer de toute pièce, non pas dans les faits, mais d'une façon factice, qui n'existe pas en réalité, et de faire croire aux populations qu'il y a une crise économique. LEUR FAIRE CROIRE QUE L'ÉCONOMIE VA MAL, QUE LES PAYS SONT ENDETTÉS VIS À VIS DU FONDS MONÉTAIRE INTERNATIONAL ET QUE POUR ÊTRE CAPABLES DE REMBOURSER LEURS DETTES, ILS DOIVENT COUPER À L'INTÉRIEUR DE LEUR ÉCONOMIE AU NIVEAU DE DIFFÉRENTS PROGRAMMES SOCIAUX."

(N'est-ce pas Monsieur Jupé! Toucher au livret A est un début, mais qu'un début!!N'oublions pas l'appartenance de Jupé et Chirac à la Trilatérale. NDLR)

Programmes sociaux dont on parle au niveau des coupures au Canada. Si vous avez des postes radios avec ondes courtes et que vous avez accès aux nouvelles internationales, vous allez vous rendre compte, avec surprise, que les mêmes problèmes existent dans plusieurs pays d'Afrique et d'ailleurs : on parle de coupure au niveau des budgets à cause de la dette intérieure de ce pays, et de la dette extérieure. (Tout à fait le programme français que Jupé appliquera envers et contre tout malgré les oppositions. N'oubliez pas qu'il a dit : "Quoiqu'il se passe en nous, au gouvernement irons jusqu'au bout"NDLR)

On parle de coupure au niveau des programmes sociaux, jamais au niveau des programmes militaires. On touche directement les populations. Donc, cela obligera les Etats-Nations à se tourner vers le fonds monétaire international de l'ONU et la Banque Mondiale (Appartenance directe à la Trilatérale. NDLR). pour les sortir de leur pétrin, mais la condition sera que les emprunteurs (c'est à dire les Nations comme le Canada ou d'autres pays) devront abandonner leur souveraineté nationale. N'est-ce pas ce qu'on connaît à l'heure actuelle avec le libre échange? "L'abandon, lentement, étape par étape, sans que cela paraisse, de la souveraineté nationale."

Je pense que c'est le 14 décembre 93 qu'ils sont arrivés à une entente internationale au niveau économique et le Canada a été obligé de dire :"Ecoutez, ce n'est pas de notre faute pour les agriculteurs mais on était tout seul". (Ils subissent au Canada comme chez nous des servitudes qui vont les amener à disparaître au profit de puissants lobbys.NDLR)

Mais dites-vous que cela c'est du théâtre, un scénario. Donc "que les pays abandonnent leur souveraineté nationale, qu'ils se rassemblent, qu'ils fassent la paix de force et qu'ils passent le contrôle à l'ONU qui deviendra le premier Dictateur du monde". Cela veut dire (non pas dans les faits pour ne pas apeurer les populations mais au niveau des signatures) que les Etats-Nations laissent tomber lentement leur souveraineté et acceptent de ne dépendre que de l'ONU pour leur survie et acceptent en même temps toutes les directives que cet organisme va leur dicter. Ce qu'il est important de remarquer ici c'est que cette stratégie qui se passe en 1993, a été mise en avant par la première société secrète penchant vers la conquête du monde : les Illuminatis. Et ce que je vous dis ce n'est pas de la science-fiction. C'est extrait d'une revue monétaire, économique, de mars 1993, et c'est écrit par un financier qui est loin d'être une espèce d'illuminé.

Ce gars est un spécialiste en économie. Et il dit, d'après la recette du "Code des Illuminatis" ceci: "Afin que les masses n'aient pas le temps de penser et de se rendre compte, leurs esprits doivent être occupés par l'industrie et le commerce. Ainsi toutes les nations seront avalées par l'appât du gain et dans cette course ils ne verront pas leur ennemi commun". Ce n'est pas bien compliqué. C'est le principe de la stratégie politique : absorber l'attention de quelqu'un sur un point précis pendant qu'on est en train de préparer autre chose. Nous sommes tous témoins de cette quête effrénée des profits dans l'industrie (et le commerce) et on peut parler au niveau des populations d'esprit matérialiste.

On ne se rend pas compte qu'on fait partie d'un système financier en banqueroute qui est sur le point de s'écrouler. Notre ennemi commun est le système bancaire global, central, donc la banque monétaire (le fonds monétaire international ou FMI).

C'est un mécanisme qui a déjà été essayé au niveau de quelques petits pays séparés, à la fois pour voir quelles étaient les réactions de la population, et comment cela fonctionnerait. Avec l'expérience du passé, ils sont à même, aidés par la technologie actuelle, et surtout par le système d'ordinateurs, d'être capables de fabriquer, de pure pièce, le complot d'une crise économique, sans que les grandes institutions financières, les grandes corporations financières, comme les grandes compagnies telle par exemple General Motor, General Electric et autres s'effondrent. Dans les bulletins d'informations, on va tenter de vous faire croire que ces grandes corporations se sont effondrées alors que c'est complètement faux dans les faits.

Comme les économies de tous les pays, y compris les Etats-Unis, continuent de s'effriter à cause des endettements, si vous prenez le temps de réfléchir, et si vous calculez, par exemple, à l'heure actuelle, la dette du Canada, juste au niveau des intérêts, vous êtes obligés de vous rendre à l'évidence d'une chose : que l'on fasse n'importe quelle coupure, quelle qu'elle soit, que l'on fasse des coupures sur absolument tout, du jour au lendemain, faites le calcul et vous allez vous rendre compte que cela serait totalement impossible de rembourser une telle dette. Surtout une dette fabriquée à ce point là par ceux qui possèdent l'économie mondiale.

Donc comme les économies de tous les pays, y compris celle des Etats-Unis et du Canada continueront de s'effriter à cause des endettements, les élus de tous ces pays se verront incapables de régler le problème et seront perçus eux-mêmes comme étant le problème.

Cela s'est vu, les hommes politiques, par logique, ne sont pas capables de régler un problème qui ne peut pas être réglé, qui n'a aucune solution; les élus, les hommes politiques en charge perdent de leur prestige et perdent le pouvoir. Et vous allez voir dans quels buts, le résultat sera une chute du gouvernement et un cri de délivrance à l'ONU. En d'autres mots, multipliez et augmentez la fréquence de la crise, et l'augmentation des coupures au niveau du social, et vous allez provoquer des crises sociales, des provocations d'une telle violence dans différents pays, et ce à l'échelle internationale qu'à un moment donné ce sont les populations elles-mêmes qui vont se tourner vers l'ONU et qui vont dire :" Ecoutez, faites quelquechose au niveau international, faites n'importe quoi, on va l'accepter, pour autant qu'on ait la paix et la sécurité."

Cela vient d'arriver dans l'ancienne Union Soviétique et se trouve à la veille d'arriver à la dernière des super-puissances : les Etats-Unis.(Alors qu'en France le système est déjà bien implanté.NDLR)

Donc, en premier-plan des affaires internationales, il y a une lutte pour la survie des ethnies, des droits religieux et de la souveraineté nationale.

Partout où ceux-ci sont menacés se produit un conflit qui demande l'intervention de l'ONU.

En d'autres mots, ce dont je viens de vous parler : la fabrication de toutes pièces de conflits, en se plaçant dans le domaine social, en augmentant par conséquent les tensions sociales (c'est aussi dans ce sens là qu'on a ouvert, dans beaucoup de pays, les frontières à l'immigration afin d'augmenter les tensions intérieures entre les différentes éthnies et entre les différentes religions, de sorte que les pays en viennent à perdre le contrôle au niveau de leur sécurité intérieure).

Donc partout où ceux-ci sont menacés se produit un conflit. Et, pour régler le conflit, comme c'est le cas en Somalie, on demande l'intervention de l'ONU. C'est justement ce qui était recherché. On a fabriqué de toutes pièces le conflit, pour ensuite faire intervenir des forces multinationales. Ceci fait partie d'une stratégie développée par un philosophe allemand au 18 ième siècle. C'est un phénomène de stratégie dialectique, ce serait très long à expliquer, mais cela revient à dire que le changement majeur qui se produit en ce moment, en 1993, est que chacun de ces conflits internationaux, planifiés à l'avance, demande une plus grande participation des troupes multinationales de l'ONU, qui sont majoritairement constituées de personnel militaire américain. Ce n'est pas pour rien que c'est ainsi.

Prenez par exemple le cas de la Somalie, cela faisait tout, de même des années que l'Organisation Mondiale de la Santé et d'autres organisations mondiales savaient avec tous les chiffres et avec tous les experts qu'ils ont, qu'une famine et que des troubles sociaux sans précédents éclateraient dans cette partie du monde. On a carrément laissé aller la situation jusqu'au bout, pour nécessiter l'utilisation d'une force multinationale, dont les forces américaines seraient majoritaires.

Le résultat est que les troupes américaines sont dispersées un peu partout dans le monde, faisant partie de la nouvelle force de police planétaire, sous le contrôle de l'ONU. Donc on disperse les forces militaires du pays le plus puissant sur la planète. On les disperse un peu partout dans différents coins du monde. Vous allez voir pourquoi. Les grandes lignes de ce transfert de la force militaire américaine sous le contrôle de l'ONU se trouvent dans le programme Freedom from War. On a des documents écrits avec des photographies qui nous ont été envoyés des Etats-Unis, et qui démontrent clairement ce qui est en train de se passer à ce niveau. Le programme des Etats-Unis pour un désarmement complet et général dans un monde pacifique, établi par le président KENNEDY (Publication 72-77 du State Department).

Ce programme en trois phases propose en phase 2 : "La force de la paix de l'ONU sera établie et renforcée progressivement à partir du matériel américain". Cette phase 2 est le stade justement où nous sommes, en 1993. Sans que personne s'en rende compte directement, la majeure partie des forces militaires américaines et des installations militaires américaines, ainsi que des bases militaires, sont en train de passer lentement sous le contrôle des Nations Unies, au niveau international, et non plus comme c'était le cas auparavant, au profit d'une seule nation qui était les Etats-Unis.

Puis, plus loin : le désarmement progressif contrôlé (parce-qu'on est en train, vous en entendez parler depuis plusieurs années, de penser en même temps qu'il y a un transfert militaire semblable, on pense à un désarmement, mais désarmement qui est contrôlé.) continuera jusqu'au point où aucun état, incluant les Etats-Unis (comme on vient de l'expliquer, la plupart des forces militaires sont transférées sous contrôle des Nations Unies) ne possédera la force militaire nécessaire pour défier l'autorité progressivement renforcée de l'ONU.

C'est un fait, il n'y a aucune nation pratiquement qui pouvait s'affronter directement aux forces militaires américaines, surtout avec la technologie qu'ils possèdent.

Si la plupart de ces forces, comme c'est le cas à l'heure actuelle, sont de plus en plus transférées sous le contrôle de l'ONU, même les Etats-Unis en tant que nation, n'auront même plus de force militaire propre pour s'opposer à la volonté de l'ONU du jour au lendemain. Le résultat est que chaque pays sera soumis à la puissance militaire de l'ONU, c'est à dire aux forces multinationales sous le contrôle de l'ONU.

La dispersion planifiée des troupes américaines aux quatre coins du monde et les coupures dans les budgets de la Défense, nous laissent sans défense face aux Nations-Unies. Et on remarque aussi la même chose pour le Canada. A l'heure actuelle, si quelqu'un prenait le temps d'additionner des chiffres, par rapport aux forces canadiennes, il serait obligé de se rendre compte qu'il n'y a pratiquement plus de forces canadiennes au sein des forces multinationales des Nations-Unies qui sont dispersées un peu partout sur la planète.

Donc vous allez peut-être me dire que le Canada n'a pas besoin d'une force militaire tellement forte pour se défendre (contre qui d'ailleurs?), puisqu'il n'y a plus de guerre froide. Avec les Etats-Unis comme voisins, il n'y a pas tellement de danger pour qu'il soit attaqué.

Si éclataient du jour au lendemain des troubles sans précédent, à l'intérieur même du pays, les forces policières à l'intérieur du pays ne seraient même pas suffisantes pour être capables de contrôler afin de venir à bout du problème.

Et si les forces policières ne sont pas suffisantes et qu'il n'y a pas assez de force militaire intérieure pour venir à bout des émeutes, quelles sont les forces militaires auxquelles on ferait appel pour être capable de régler le problème? On serait obligé de faire appel aux forces multinationales des Nations-Unies, c'est à dire qu'on se retrouverait du jour au lendemain, en territoire canadien et en territoire québecois, avec des soldats étrangers venant par exemple de la Russie, de l'Afghanistan ou de n'importe quel autre pays pour servir de police nationale par rapport aux troubles qui auraient éclaté. Vous allez me dire quels troubles? Ce n'est pas tellement difficile de définir lesquels!

Avec la détérioration économique, les coupures dans les budgets sociaux, l'augmentation des tensions sociales qui vont continuer de plus en plus, il est clair et net que la plupart des nations, les Etats-Unis, le Canada, la France et d'autres pays se dirigent directement vers un éclatement intérieur.

Donc, pour continuer, ce monsieur France, qui est économiste, écrit :" Pendant la campagne, le président Clinton a proposé une force de police de 5000 hommes pour s'attaquer à la criminalité : la Nouvelle Force de Police Nationale de l'Amérique du Nord. Cette force est en train de se mettre sur pied à la vitesse de l'éclair et peu de gens se rendent compte que nous les voyons tous les soirs aux nouvelles." (Waco au Texas par exemple).

Pour tous ceux qui ont surveillé les nouvelles quand le drame WACO éclata, je peux vous dire, d'après des contacts que j'ai avec des journalistes américains, qu'on ne vous a jamais présenté exactement ce qu'il s'est réellement passé. On a fabriqué la chose de toutes pièces, toute l'opération était un terrain d'expérimentation contre un groupe religieux. Quelle que soit l'idéologie de ce groupe le problème n'est pas là. Ce groupe religieux devait servir de base d'expérimentation par rapport à d'autres groupes religieux beaucoup plus importants. (Comme chez nous actuellement avec le Temple Solaire. Nous sommes tous étonnés que les R.G. puissent laisser des adultes décider de la mort d'enfants! Le Temple sert de tremplin pour combattre d'autre sectes comme la Scientologie par exemple qui pourrait devenir un état dans l'état!NDLR)

Maintenant il n'y a a plus de doute que David Koresh était le chef d'une secte (et l'on parle toujours de WACO) le vrai but de ce raid était de permettre à l'establishment de présenter cette force de police comme quelquechose de bien. Cette nouvelle force de police de 5000 membres, des forces de police qui étaient là-bas à cet instant, faisaient partie justement de cette nouvelle force."le plan est de développer l'acceptation du public". Qu'est-ce que l'on fait pour faire accepter par le public en général quelquechose de nouveau? On le montre à la télévision (en France les mots "vu à la télé" sont un sésame pour les escrocs et se veulent symbole de ... vérité!NDLR) comme étant un élément efficace au niveau de la paix et de la sécurité. Et il continue :" Ces troupes sont une consolidation, la Nouvelle Force de Police Nationale aux Etats-Unis est une consolidation des agents de la CIA, du FBI, de l'ATF, du DEA et des Impôts et autres agences policières et gouvernementales."

D'après un officier des services secrets de l'armée américaine, (que nous appellerons Marc) j'ai obtenu des informations assez bouleversantes et explosives qui vont être diffusées prochainement. Ces forces sont maintenant appelées la police MJTF, qui est le Détachement Spécial Multi-Juridictionnel. Multi-Juridictionnel cela veut dire que cela peut agir à peu près dans n'importe quel secteur. D'après Marc, leur mission est d'effectuer des fouilles et des saisies, maison par maison, de pratiquer la séparation et le tri des hommes, femmes et enfants en grand nombre, ainsi que le transfert dans des centres de détention. (Ceci n'est pas faux car durant la guerre du Viet-Nam des asiatiques "américains" furent parqués dans des camps sur le territoire américain NDLR). J'ai un rapport complet qui touche justement le programme pour l'établissement des camps de concentration aux Etats-Unis, (mais je ne parle pas de vieux camps de concentration datant de la dernière guerre mondiale). Je parle de quelquechose de complètement nouveau. Je possède un rapport de 50 pages avec cartes géographiques pour le prouver, avec des sources de références nombreuses. Donc, cette nouvelle force de police, comme il est dit ici, semble coincider avec le plan RISK(?) AD4 du Président Reagan (cela ne remonte pas tellement loin) qui mettait en marche 11 centres de détention fédéraux en Floride, en Virginie, en Georgie, dans l'Etat de New York, en Pennsylvanie, au Wisconsin, en Arkansas, Arizona et Californie. De plus, des rapports nous parviennent (et ce n'est pas moi qui l'ai écrit) et qui spécifient qu'il existe bien des wagons de chemin de fer spécialement conçus, avec des chaînes et des fers sur les murs pour le transport des prisonniers (je vous avoue avoir reçu des rapports et ce venant de différentes sources, de différents journalistes à travers les Etats-Unis) Un wagon de chemin de fer dans la région de CUPBAIN(?) au Montana, était chargé de menottes de fer et de guillotines. Est-ce que cela ne semble pas étrange, demande-t-il?

Marc expliqua aussi comment le MJTF travaille en conjonction avec la FENCEN, qui est le nouveau stade de force de police de l'ONU. FENCEN c'est le Federal Emergency National Center. L'une des particularités de ce FENCEN, c'est que tous leurs uniformes sont noirs sans signe extérieur d'identification. Les jeeps, les camions militaires, les hélicoptères sont noirs. Si vous ne le savez pas, sâchez que vers le milieu du mois de novembre 93, autour de Montréal il y a eu des opérations comprenant entre 50 et 70 hélicoptères et à l'intérieur de la composition des forces militaires en présence il y avait des hélicoptères de l'ONU et des hélicoptères du FENCEN tout en noir. Tous faisaient des opérations militaires autour de Montréal.

C'est ce qui m'a été rapporté de source sûre par certaines personnes.

Pour en revenir au FENCEN en question, dont on possède des rapports ici à l'Agence, il est composé de polices militaires et secrètes, dont le nombre se chiffre à l'heure actuelle à environ 300 000 dans les Etats-Unis. D'après Marc, leur uniforme est l'habit de combat classique noir. Ils portent notre armure anti-balle couleur noire; le casque est un casque spécial protecteur de même couleur. Si vous avez suivi les événements de WACO, vous aurez remarqué que les forces du MJTF ont été épaulées, puis finalement remplacées par les troupes du FENCEN. Ces troupes FENCEN sont transportées par des hélicoptères noirs banalisés que plusieurs personnes ont rapporté avoir vu partout à travers les Etats-Unis et qu'on a vu à la télé pour WACO.

En novembre 1990 le président Bush signait un ordre d'exécutif qui transférait 1/3 des véhicules de la réserve aérienne stratégique des Etats-Unis au FENCEN, à un coût de 12,8 milliards pour le contribuable américain.

Et ils ont été peints en noir et ne portent aucune identification et ils sont utilisés par le FENCEN. Deux choses entrent en ligne de compte: c'est l'organisation internationale pour la chute de l'économie, et en même temps que tout ce mécanisme est en préparation au niveau du fonds monétaire international, on a la constitution d'une nouvelle force de police nationale à travers l'Amérique ainsi qu'une nouvelle force de police militaire, les deux se faisant en même temps.

Les groupes de combat de l'ONU sur les territoires américains et canadiens. Toujours d'après Marc, le niveau final de forces militaires qui vient d'être structuré cette année (1993) sont les groupes de combat de l'ONU à l'intérieur des Etats-Unis. Des cartes géographiques le prouvent!

Ces troupes sont situées à la frontière de la Californie et de la Virginie, et il existe des groupes de combat équivalent à 34 000 hommes. Située dans la région de Sacramento se trouve une autre force de 34 000 à 40 000 hommes et un contingent de 22 000 soldats de l'ONU est situé au sud de L.A. C'est quand même bizarre dans ce coin là!

D'ailleurs, dans d'autres rapports et d'autres cassettes je pourrai vous rapporter ce que des collègues américains m'ont envoyé à propos des troupes de L.A, comment est-ce que ces troupes ont été permises et structurées jusqu'à un certain point pour servir de terrain d'expérimentation , au niveau de troubles sociaux incertains à l'intérieur d'une grande ville américaine par exemple.

L.A. pouvait très bien servir de base d'études car cette ville est la deuxième en importance aux Etats-Unis, après New-York. Marc ajoute que de plus, du Montana jusque dans les territoires canadiens, se trouve un groupe de combat de 37 000 hommes qui est constitué de deux brigades d'infanterie mécanique E.E.C. (deux brigades d'infanterie mécanisées standard), la première division d'armée canadienne et une brigade de sécurité légère japonaise. Et cela c'est sur le territoire canadien et américain à l'heure actuelle. La présence des troupes de l'ONU russes, yougoslaves, roumaines et coréénnes en sol américain et canadien a aussi été rapporté par d'autres sources fiables. Où gare-t-on ces troupes? Dans des bases militaires qui sont supposées en train de fermer. D'un côté on vous dit qu'on ferme à cause des coupures budgétaires des bases militaires et en fin de compte, soit on en construit d'autres ou bien on en ouvre d'autres. Par exemple, avant de quitter la présidence, alors qu'il était devant l'ONU, Monsieur Bush transféra la garde de Fort Dix(?) aux autorités de l'ONU pour servir de camps d'entraînement.

A quoi tout cela se résume-t-il?

Le Nouvel Ordre Mondial prévoit de nous amener un Gouvernement Mondial Unique, non par la raison mais par la force. D'ailleurs, l'article 1 des Illuminais dit ceci :" Notre mot d'ordre est forcer et faire semblant". Et il dit aussi : "Seule la force triomphe en matière politique, spécialement si elle est cachée dans les talents essentiels des hommes d'état; en d'autres mots, des comédies, des hommes de théâtre, parfait! La violence doit être le principe, et la ruse la règle pour les gouvernements".

En d'autres mots, on revient exactement ici aux mêmes lignes de conduite qui avaient été saisies lors de l'imposition du communisme en 1917. La violence était le principe de base. Apeurée les populations, pour les mettre à genoux; la ruse et le faire semblant, c'est à dire une autre version, c'était la règle pour les hommes politiques. Si vous regardez ce qu'il vient de se dérouler il y a seulement quelques temps en Russie pour un nouveau personnage politique montant qui risque d'ici quelques années de prendre la présidence (On sait maintenant qu'il s'agissait de Boris Eltsine. NDLR), vous allez remarquer un signe d'identification qui ne pouvait être connu que par les personnes qui sont au courant de ces choses au niveau international, ou des personnes qui font partie des groupes internationaux, des Illuminatis ou du Grand-Orient de France. Rappelez-vous qu'à un moment donné on a vu cette personne porter dans la main gauche des roses ou des fleurs rouges. C'est un symbole de reconnaissance internationale. Fidel Castro en portait lui aussi, le Président Mitterrand en France en a porté à un moment donné (lors de sa visite au Panthéon. NDLR) et vous remarquerez que les grands hommes politiques, identifiés au groupe des internationalistes, vont se servir de ce symbole de reconnaissance , comme étant aussi un symbole de remerciement pour avoir été porté au pouvoir. Ici cela nous sert de clé pour comprendre ce qui est en train de se passer en Russie.

Mais, pour ce qui est de la constitution de cette force multinationale, sujette au contrôle des Nations Unies, en même temps que l'on est en train de fabriquer à l'échelle mondiale, de toutes pièces, une crise économique, on a le tableau exact pour comprendre qu'à plus ou moins long terme les sociétés vont se retrouver dans un état de crise sociale et politique telle que la seule issue qui va leur être laissée sera de se rallier entièrement aux Nations Unies. Les peuples vont demander aux Nations Unies d'être protégés et de pouvoir retrouver une paix, une sécurité et une stabilité. C'est justement ce que recherche cette organisation mondiale et c'est justement ce dont ils ont besoin comme prétexte pour établir un gouvernement mondial.

Cela se passera à ce moment là juste au moment où les peuples, excédés, seront mis à genoux malgré eux. Dans les prochaines années on va vous dire :" Oui, il y a un certain espoir pour régler les problèmes économiques mais dans la réalité vous allez voir les problèmes économiques augmenter". Les coupures dans les programmes sociaux précis augmenteront à tous les niveaux : les syndicats, au niveau des grèves vont s'élever contre les gouvernements. Les gouvernements vont démissionner les uns après les autres parce qu'ils n'ont aucune solution à apporter. Ils n'ont aucune solution parce que le FMI ne leur en laisse aucune et à ce moment là, on va amener lentement les populations à genoux, ayant perdu à travers une fausse crise économique les avoirs, les réserves d'argent, les propriétés. A PARTIR DU MOMENT OU LES POPULATIONS SERONT PLACÉES DANS L'OBLIGATION DE SUPPLIER L'ONU DE RAMENER LA PAIX ET LA SÉCURITÉ (et de leur implanter sous la peau des Micro-Chips Biologiques d'identification internationale) auront déjà été tous préparés de manière à ce que les gens soient prêts à l'accepter, pour leur sécurité, pour la stabilité et pour la paix. En fin de compte, qu'est-ce que propose le New Age mondial (le nouvel ordre mondial), la conspiration universelle de l'ère du verseau, si ce n'est la paix, la sécurité, et le bonheur pour l'homme ici bas, à l'heure actuelle (il est vrai que cela devient le leitmotiv des sectes. NDLR). D'ailleurs pour vous montrer de quoi sont capables les internationalistes, de quels genres d'indivi dus il s'agit ici, voici un article (il y a juste un petit paragraphe) qui fut rapporté par le Journal de Médecine de la Nouvelle Angleterre. Lorsqu'un article est rapporté dans un journal de médecine de cet acabit, c'est parce qu'il a été vérifié auparavant, sinon il ne passerait même pas le cap du bureau de rédaction. Je vous informe à l'avance que l'article est très dur mais il donne une idée du genre de bonhommes, ce dont ils sont capables non pas ici dans le secteur économique, mais dans la recherche biologique et dans l'appât du gain.

Tout le monde a entendu parler du collagène. Le collagène est une protéine fibreuse se trouvant dans les os, le cartilage et dans les tissus reliés. Est-ce la substance gélatineuse trouvée dans les tissus, muscles, os et cartilages et dont on se sert dans plusieurs shampoings, lotions de beauté, crèmes pour les mains et le visage contient du collagène?

Première question que l'on se pose parceque beaucoup en renferment. (On sait que de nombreux produits de ... beauté sont tirés aussi du placenta récupéré après un accouchement. Rouge à lèvres, crème anti-ride, etc ...NDLR) Deuxième question : est-ce que vous avez déjà vérifié si ces produits renferment des spécifications concernant les animaux ou les bovins ou bien s'il s'agit de collagène provenant de bébés? Et là ce n'est pas une blague! Ce que je vous dis a été rapporté dans le Journal de Médecine de la Nouvelle Angleterre. Les tissus, la culture des tissus pour le collagène ici, sont obtenus pour leur compte en laissant tomber des bébés avortés (des bébés encore vivants!) dans des broyeurs d'aliments et en les homogénéisant de manière à rendre les tissus acceptables pour les transformations qu'ils comptent opérer par la suite. Donc je sais que c'est dur à accepter, mais il n'y a pas, je pense, 36 manières de montrer aux gens à qui ils ont affaire exactement au niveau international; quel genre de pouvoir est en train de s'établir sur la planète par le biais des Nations-Unies. Ceux qui étaient responsables des camps à la deuxième guerre mondiale, étaient de gentils enfants par rapport à ceux qui pratiquent de tels actes. Pour ceux qui ne sont pas au courant de ce qu'est l'Agence de Presse Internationale, sâchez que notre but est la libre circulation de l'information, surtout celle passée sous silence par les milieux d'information officiels et ceux touchant plus particulièrement à la mise à découvert de tous les différents mécanismes établis en fonction de l'instauration d'un gouvernement mondial, d'un nouvel ordre mondial, d'une conspiration du new Age, prévue par les Nations-Unies elles-mêmes, pour être instaurée pendant l'été 1999.

En tant que journaliste d'enquête, nous fonctionnons uniquement à partir de documents officiels et autres, receuillis dans différents pays avec l'aide d'autres journalistes.

Ainsi nos rapports, nos volumes, nos cassettes et les conclusions de ces rapports, ne sont jamais basés sur des théories. Nos méthodes d'enquête et nos méthodes de vérification de l'information que l'on reçoit sont rigoureusement scientifiques et nos découvertes sont toujours vérifiées dans leur exactitude avant toute publication.

Avant de rendre public un fait comme ceux qui se trouvent ici, toutes ces informations, même si on les reçoit de la part de journalistes qui firent leur preuve, même si ce sont des coupures de presse indentifiés, des dossiers identifiés avec référence pour notre part nous nous mettons en rapport avec d'autres journalistes, aux Etats-Unis, en Australie ou en Europe pour vérifier si ces informations sont réelles ou si elles ne le sont pas.

Après multi-vérification c'est là que nous prenons la décision ou non de publier, afin que les gens, dans la population, puissent être à même de prendre réellement conscience de ce qui se passe et de pouvoir s'organiser pour se protéger.

Emplacement dans la main du Bio-Chip 666
Tranporder TX1400L

* * * * * * * * * * * * * * * * * * *

Pompe à injections

C'est avec cet appareil que le Tranponder 666 Bio-Chip est injecté

* * * * * * * * * * * * * * * * * * *

Détails du DESTRON I D
(Transponder TX 1400 L)

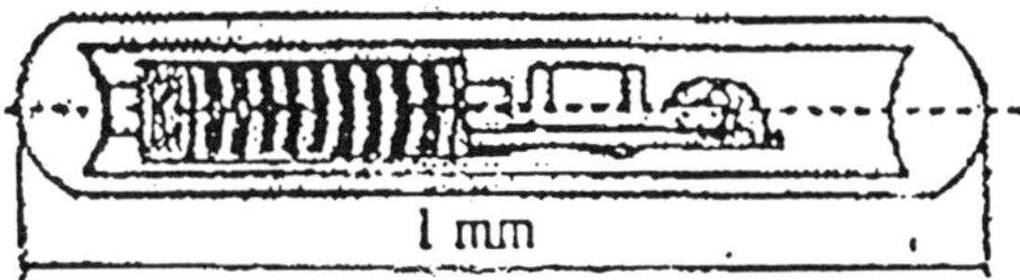

Pas plus gros qu'un grain de riz
*Actuellement implanté sur des animaux. **Une nouvelle version est en phase d'expérimentation pour l'appication sur l'être humain***

Ministère de la Justice

Communiqué

DÉPÔT DU PROJET DE LOI SUR LA SURVEILLANCE ÉLECTRONIQUE

OTTAWA, le 11 décembre 1992 -- La ministre de la Justice, procureure générale du Canada, et députée de Vancouver-Centre, Mme Kim Campbell, a déposé aujourd'hui à la Chambre des communes un projet de loi concernant le recours à la surveillance électronique par la police et la confidentialité des communications radiotéléphoniques.

«Les modifications qui seront apportées au *Code criminel* en ce qui concerne la surveillance électronique visent à autoriser à nouveau la police à employer des méthodes d'enquête éprouvées et efficaces sans compromettre le droit à la protection de la vie privée que la *Charte canadienne des droits et libertés* garantit à tous», a déclaré la Ministre.

Au cours des dernières années, la Cour suprême du Canada a rendu un certain nombre de décisions qui ont eu une incidence marquée sur les règles de droit et les pratiques d'enquête policière ayant trait à l'utilisation des dispositifs de surveillance électronique. Ces dispositifs incluent les émetteurs radio qui permettent de suivre subrepticement les conversations à distance, aussi connus sous le nom de micro-émetteurs de poche, les caméras de surveillance magnétoscopique et les balises.

Les modifications apportées au *Code criminel* visent notamment à :

- permettre l'écoute à distance des conversations des policiers et d'autres personnes en situation éventuellement dangereuse;

- habiliter les juges à accorder aux policiers et à d'autres personnes, sur la foi de motifs raisonnables, l'autorisation d'intercepter des communications avec le consentement de l'une des parties aux communications en question afin de recueillir des éléments de preuve ou des renseignements sur des activités criminelles;

- habiliter les juges et les juges de paix à accorder aux policiers et à d'autres personnes l'autorisation d'utiliser du matériel de surveillance magnétoscopique et électronique, notamment les balises;

../2

Gouvernement du Canada Government of Canada

Canada

- autoriser les juges à décerner des mandats ou à rendre des ordonnances permettant de prendre des mesures pour obtenir des renseignements ou une collaboration qui constitueraient autrement une fouille, une perquisition ou une saisie abusive;

- rationaliser la procédure applicable aux éléments de preuve recueillis par surveillance électronique.

En outre, les modifications suivantes seront apportées au *Code criminel* afin de mieux protéger la confidentialité des communications radiotéléphoniques (par exemple, les conversations par téléphone cellulaire) :

- les communications radiotéléphoniques encodées seront réputées «communications privées»;

- l'interception de communications radiotéléphoniques lorsque faite malicieusement ou à des fins de gain sera interdite;

- la divulgation ou toute autre utilisation des renseignements obtenus grâce à l'interception de communications entre un appareil principalement utilisé à des fins de communication radiotéléphonique et une station de base sera interdite.

La ministre Campbell a annoncé pour la première fois son intention de modifier les dispositions relatives à la surveillance électronique dans le cadre de la Semaine de la protection de la société, à Toronto, en avril dernier. En outre, la ministre a présenté et a diffusé à grande échelle un document de travail sur la surveillance électronique, qui visait également à préciser la situation juridique de l'interception des communications par téléphone cellulaire, lors de la réunion annuelle de l'Association canadienne des chefs de police, en août dernier.

- 30 -

Rens. : Alexandra Guest
Cabinet de la Ministre
(613) 992-4621

Richard Mosley
Ministère de la Justice
(613) 957-4725

(English version available)

Les armes de contrôle de la pensée de demain sont ici aujourd'hui. Il existe des engins destinés à introduire des pensées dans l'esprit humain, des engins destinés a manipuler directement l'état de conscience (la capacité de traitement du cerveau), et des engins conçus pour lire les motifs des ondes cérébrales, ou de pensée, à distance.

CONFIDENTIAL

LES SECRETS DE LA VIE

En janvier 1991, l'université d'Arizona était l'hôte d'une conférence intitulée "Atelier de l'OTAN sur les Phénomènes Cohérents et Émergents dans les Systèmes Biomoléculaires." La conférence révélait des développement fascinants, mais effrayants dans le monde des systèmes biomoléculaires, un sujet qui englobe un vaste champ de disciplines, incluant la biochimie moléculaire, la nanotechnologie, la psychoneuroimmunologie, l'ingéniérie bio-moléculaire, et un bon nombre d'autres disciplines reliées à l'étude de la conscience humaine. L'organisateur et hôte de la conférence, le Dr. Stuart hameroff, du Collège de Médecine de l'université, Dép. d'Anesthésiologie, déclara: "Les buts de cette conférence étaient de comprendre les mécanismes de base de la vie et de la conscience." Il prétendit que l'OTAN n'était que le commanditaire de l'événement et que leur participation se limitait à la présence de quelques représentants lors des conférence qui prenaient des notes.

Hameroff croit que le siège de la conscience pourrait se situer dans "des polymères cytosquelettaux ressemblant à des ordinateurs, à l'intérieur des cellules." Ou, plus clairement dit, la conscience d'un individu pourrait se trouver dans des structures microscopiques à l'intérieur de chaque cellule individuelle du cerveau. Ces structures communiquent apparemment à travers des "excitations cohérentes de l'ordre des nanosecondes", c'est-à-dire, une sorte de couplage d'énergie à des logueurs d'ondes ultra-coutres. Hameroff poursuit: "Une idée exprimée qui a rapport à la vie "après 2000" est que les protéines cytosquelletiques du cerveau pourraient être préparées dans un environnement artificiel qui pourrait être capable de contenir des fonctions cognitives."

"*Un individu pourrait être capable de transférer sa conscience à un environnement artificiel quand son corps physique approcherait de l'expiration. Ceci soulève évidemment beaucoupe de questions d'ordre philosophique et sociologique.*"

Si nous pouvons même commencer à concevoir une technique pour enlever et ranger la conscience humaine dans un environnement artificiel (et possiblement la transférer dans un autre corps?) capable de garder des fonctions cognitives, alors personne ne devrait être surpris que le contrôle de la pensée soit possible.

CONFIDENTIAL

LA TECHNOLOGIE DU CONTRÔLE

Un document qui fut distribué à la conférence se démarquait par son attitude différente envers les développements dont on discutait. C'était en effet un avertissement glacial aux scientifiques présents à propos des abus potentiels de leurs découvertes. Le sujet du document: Le Contrôle de la Pensée.

Distribué par le chercheur indépendant Harlan E. Girard, le document était intitulé "Effets des Radiations Gigahertziennes sur le Cerveau Humain: Développements Récents dans la technologie du Contrôle Politique." Il explique comment l'énergie des micro-ondes peut être, et est utilisée pour influencer et contrôler le comportement humain.

Dans une lettre concernant la présentation de Girard, Stuart Hameroff déclare que ces "prétendues" techniques "utilisaient des vibrations de nanosecondes (ou plus rapides, gigahertziennes, micro-ondes, etc.) et donc étaient en rapport avec le thème de la conférence, c'est-à-dire la conscience reliée aux excitations cohérentes de nano-secondes deans le cytosquelette." Le document en soi, par contre, est beaucoupe moins intéressant que terrifiant du point de vue scientifique, si un rapport fidèle sur les capacité opérationnelles d'agences qui pourraient employer de telles technologies.

CONFIDENTIAL

Girard débute la présentation en expliquant:

"Les États-Unis ont développé des équipements de communications qui peuvent rendre la vue aux aveugles, l'ouïe aux sourds et la force aux paralytiques. Ça peut débarrasser les malades en phase terminale de toute douleur, sans l'usage d'aucune drogue. Un homme peut garder l,usage de toutes ses capacités jusqu'au jour de sa mort.

Ces équipements de communications se basent sur une nouvelle manière de concevoir le cerveau humain et le système neuromusculaire, et des radiations gigahertziennes pulsées à des fréquences ultra-basses.

Certains de ces équipements sont maintenant opérationnels dans les rangs de la CIA et le FBI. Ils ne seront jamais utilisés pour rendre la vue aux aveugles ou l'ouïe aux sourds parce que ce sont des pièces centrales de l'agenda politique domestique et étranger de James A. Baker et de George Herbert Walker Bush.

Domestiquement, les nouveaux appareils de communications sont utilisés pour torturer et assassiner des personnes qui correspondent aux profils imaginés pour nettoyer une population entière de terroristes, pour torturer et assassiner des citoyens qui appartiennent à des organisations qui promeuvent la paix et le développement en Amérique Centrale, pour torturer et assassiner des citoyens qui appartiennent à des organisations opposées au déploiement et à l'utilisation des armes nucléaires, et pour créer une race d'esclaves appelé Automatons, ou ce qu'on appelle populairement le Candidat Mandchou.

À l'étranger, les essais ont lieu sur des otages détenus par les États-Unis au Canada, en Grande-Bretagne, en Australie, en Allemagne, en Finlande et en France. De plus, il y a eu une longue série de suicides bizarres parmi des informaticiens Brittanniques, ceux-ci ayant tous un quelconque lien avec l'United States Navy.

Faits étranges : toutes ces personnes criminelles avaient en commun un traitement aux tranquilisants ou anti-dépresseurs : ex Valium pour John Hinckley (tentative d'assassinat sur Reagan en 1981). Est-ce une coïncidence pure et simple alors que l'on sait que G. Bush fut nommé directeur de la compagnie pharmaceutique Eli Lilly, après avoir quitté la direction de la CIA en 1977 et que sa famille était un des plus importants actionnaires d'autres grandes compagnies pharmaceutiques. Certains chercheurs pensent que plusieurs individus du domaine de la santé mentale travaillent à l'instauration d'un nouvel ordre mondial avec les compagnies pharmaceutiques et les gouvernements.

Pour exemple, le Dr Ewen Caméron conduisit un programme de recherche du contrôle de la pensée (nommé MKULTRA) pour la CIA. Il fut aussi président des associations psychiatriques américaines, canadiennes puis mondiales. Il fut à l'origine des recherches sur le sommeil profond qui, utilisées de 1963 à 1973, causèrent la mort de 20 personnes. Cameron se basait sur les recherches du psychiatre anglais W. Sargant expert en techniques communistes d'extorsions d'aveux.

LA MANIPULATION A TRAVERS LA PSYCHIATRIE a toujours joué un rôle majeur dans le cadre de la mainmise du gouvernement mondial. Le Dr West serait semble-t-il le coordonnateur apparent du programme secret du Gouvernement Américain du contrôle de la pensée. Il est aussi président du département de psychologie de la UCLA et directeur de son Institut neuro-physiologique. C'est encore lui qui présiderait aux recherches sur les "lavages de cerveaux" coréens touchant les prisonniers de guerre américains ainsi qu'un programme financé par la CIA sur le LSD vers les années 60.

LE CONTRÔLE DE LA PENSÉE

(Traduit du Magazine NEXUS, Australie, Mars !

ET LE NOUVEL ORDRE MONDIAL

par Glenn Krawczyk

Ceci est la deuxième et dernière partie examinant un sujet auquel la plupart d'entre nous préféreraient ne pas penser: LE CONTRÔLE DE LA PENSÉE

LE TEMPS QUI MANQUE

Une série d'expériences conduites ~~par la C.I.A.~~ pour trouver une méthode pour provoquer l'amnésie découvrit que des pulsations de micro-ondes pouvaient être utilisées pour surstimuler la production d'acétycoline dans le cerveau, un neurotransmetteur associé à l'emmagasinage de la mémoire. Ce procédé était connu sous le nom de EDOM (Dissolution Électronique de la Mémoire). Lorsqu'un sujet est exposé à ce signal, il ne peut tout simplement pas emmagasiner de la mémoire, et donc restent avec une période d'amnésie, ou de "temps manquant." Ils peuvent même être influencés à ne pas se souvenir de ces amnésies. D'après le livre "The Mind Manipulators" (les Manipulateurs de la Pensée), par Alan W. Scheflin et Edward M. Opton Jr, publié en 1978, "L'EDOM altère la perception du temps en émettant des ondes radio et des tonalités ultrasoniques, qui eux agissent sur les produits chimiques qui agissent sur l'emmagasinage de la mémoire dans le cerveau." Il semble même que cette technique puisse être utilisée pour "effacer" des souvenirs spécifiques des cerveaux d'individus qui ont été exposés à des informations hautement classifiées et qui quittent l'emploi d'agences gouvernementales qui travaillent avec des informations sensibles.

Cette technique particulière me laisse songeur à propos de ces événements appelés "de temps qui manque" associé à de présumés enlèvements extraterrestres. Nous avons développé la technologie qui provoque des périodes d'amnésie dans nos propres laboratoires, et nous n'avons pas besoin d'intrus extraterrestres pour nous montrer comment le faire.

TOUT EST DANS LA TÊTE

Les opérations d'implants cérébraux, dont le blâme est si couramment placé sur les kidnappeurs extraterrestres, ont lieu partout sur notre planète depuis très longtemps, et elles sont perpétrées par des humains. Des docteurs en Suède ont placé des transmetteurs cérébraux dans les têtes de patients anesthésiés sans leur consentement ou leur savoir depuis plus de trente ans. Il existe des preuves que les hôpitaux de Sodersjukhuest, Karolinska, Nacka et Sudsvall ont implanté des transmetteurs cérébraux sans la permission ni la connaissance de leurs patients durant plusieurs décennies. Les autorité suédoises nient l'existence des transmetteurs cérébraux et avisent les plaignants qu'ils risquent d'être internés dans des hôpitaux psychiatriques s'ils continuent de parler des ces appareils.

TRAVERSER L'ESPRIT

Dans son livre "Such things are known" (De telles choses sont connues), Dorothy Burdick (un nom de plume, afin de protéger sa réputation de professeur au Foothill College à Santa Clara, Californie) décrit son expérience personnelle en tant que sujet involontaire au contrôle de la pensée. Elle prétend avoir été la cible d'expériences de "lecture de la pensée" et de "transmission de voix" conduites par le Defence Advanced Research Projects Agency (DARPA). Utilisant un Superordinateur Cray faisant fonctionner un programme complexe de reconnaissance de structures, l'agence était capable de lire les ondes cérébrales de Dorothy et d'insérer des pensées dans son cerveau plus vite qu'elle ne pouvait les traiter. Elle raconte que ces pensées étrangères "lui venaient à l'esprit", littéralement.

Apparemment, quand on parle, les nerfs contrôlant les cordes vocales, la bouche et la langue sont activés en proportion des nombreuses directions et tensions vers lesquelles chaque muscle reçoit l'ordre de bouger. Ces structures, ou motifs, surviennent *que les mots soient prononcés ou non.* Le processus de la pensée requiert qu'on se parle à soi-même afin que l'esprit puisse fonctionner consciemment. Ceci s'appelle "pensée sub-vocale". Essayez seulement de penser sans vous "parler à vous-même" si vous ne le croyez pas. Les motifs d'ondes cérébrales produits dans ce procede neurologique peuvent apparemment être lus en utilisant une forme d'appareil de surveillance à distance et peuvent révéler toutes les pensées d'un individu.

Le Los Angeles Times publia un article le 20 août 1992 intitulé "Des caméras qui captent des images de la pensée" qui déclare "Des savants ont été capables de voir directement les procédés de pensée humaine, retraçant les motifs complexes de réactions chimiques et électriques à de petits amas de cellules cérébrales.; Les chercheurs ont utilisé une caméra comparativement simple qui capte les différences subtiles trop petites pour être vues par l'oeil humain dans la lumière réfléchie sur la surface du cerveau à mesure que la pensée est accomplie. Ils ont dit que le procédé va permettre de dresser une carte beaucoup plus précise des procédés de la pensée et des activité physiques d'endroits spécifiques du cerveau." William H. Theodore, un neurologue de l'Institut National des Maladies Neurologiques et des Attaques commenta: "C'est une technique très intéressante. L'avantage est que ça enregistre des changements très rapides des fonctions du cerveau. Je crois que cela va permettre aux chirurgiens de mieux déterminer les régions de la parole."

Cette technique est maintenant du domaine public, alors serait-il vraiment surprenant que le DARPA, qui a dépensé des milliards de dollars à développer des superordinateurs à traitement parallèle, et sur de la recherche sur la reconnaissance de motifs (pour utilisation éventuelle dans des avions de combat), ait découvert comment appliquer cette technologie à des opérations plus sinistres? Après tout, le mandat de cette agence est de développer des armes plus efficaces afin d'armer les industries américaines de Défense et d'Intelligence.

LA VRAIE "GUERRE DES ÉTOILES"

Des combinaisons de radiation électromagnétiques et d'hypnose ont aussi été le sujet de recherches intensives. En 1974, le chercheur J. F. Shapitz dit de l'un de ses projets de recherche: "Dans cette enquête il sera démontré que la parole de l'hypnotiseur peut aussi être transmise par de l'énergie électromagnétique modulée directement dans les parties subconscientes du cerveau humain, c'est-à-dire sans l'emploi d'appareils techniques pour recevoir ou décoder les messages et *sans que le sujet visé n'ait le loisir de contrôler consciemment l'entrée de l'information. On peut s'attendre à ce qu'ils rationalisent leur comportement et qu'ils le considèrent comme venant de leur propre volonté.*

N'importe qui enquêtant sur le soi-disant phénomène de "channelling" serait sage de prendre en considération ce sujet de recherche. Il est intéressant de noter que le nombre de gens qui se considèrent des "channellers" ait grimpé rapidement depuis que ce type de recherche est entrepris. Il est étrange de constater à quel point leurs messages sont similaires, sans égard à "l'entité" qu'ils prétendent être à la source de leur "conseils divins". Je suggérerais à tout individu qui considère le contenu d'information "channellée" d'être vigilant et d'évaluer de façon critique si le message "reçu" est bénéfique, dans un sens non égoïste, ou s'il servirait à évoquer des schémas de pensée qui serviraient le Nouvel Ordre Mondial.

Le Sydney Morning Herald publia un article, le 21 mars 1983, qui ajoute du poids à cette hypothèse. L'article expliquait qu'un document intitulé "Les Soviets envahissent la Pensée Humaine" avait été présenté au journal par le Dr. Nassim Abd El-Aziz Neweigy, Assistant Professeur à la Faculté d'Agriculture de Moshtohor Tukh-Kalubia, en Égypte. Il est intéressant de citer cet article, bien que la grammaire soit un peu bizarre.

"Les Soviets ont manufacturé, ou même importé, les ordinateurs avancés et les ont remplis avec des données *psychiques* précises basées sur leurs études de l'anatomie et de la biologie du corps humain, et de leurs études sur l'anatomie, la chimie et l'électricité du cerveau humain. Ces ordinateurs ont été remplis, aussi, avec les différents langages et leurs significations. Les dialectes des peuples ont été entrés à partir de satellites. Les Soviets ont commencé à nourrir les ordinateurs de programmes objectifs."

"Il semble que les Soviets aient eu recours à la méthode suicidaire dans la société humaine en allouant un rayon électronique pour plusieurs personnes dans de différentes sociétés. De tels rayons sont activés par la mémoire des ordinateurs qui contiennent beaucoup de données sur les êtres humains et leurs langages. *Ces rayons 'entrelacent et s'entremêlent avec la pensée naturelle pour former une pensée diffuse artificielle. À travers de tels moyens férocement anti-humanitaires, les groupes extrémistes sont fabriqués, les troubles et les désordres sanglants sont provoqués par des télé-moyens avancés via satellite, dans plusieurs pays de l'Asie, de l'Afrique, de l'Europe et de l'Amérique Latine.*"

L'éditeur de la rubrique dans laquelle l'article fut publié déclarait même: "Nous pensons que ce sont des points trop importants pour les ignorer." Je pense que c'est une façon conservatrice de le dire. Une possibilité déroutante, étant donné l'information que nous avons en main, est que les individus impliqués dans cette opération gigantesque de contrôle de la pensée puissent être eux-mêmes programmés, et ne se rendre même pas compte de ce qu'ils sont en train de faire.

LE NOUVEAU CHAMP DE BATAILLE MENTAL

CONFIDENTIAL

Dans l'édition de décembre 1980 du journal Military Review, de l'Armée Américaine, un article du Lt. Col. John B. Alexander intitulé "Le nouveau Champ de Bataille Mental: Beam me up, Spock", apportait de nouveaux détails concernant les capacités techniques présentement disponibles aux contrôleurs. Il écrit: "Plusieurs exemples vont démontrer les domaines dans lesquels des progrès ont étés accomplis (...) Le transfert d'énergie d'un organisme à un autre (...) La possibilité de guérir ou de causer des maladies peut être transmise à distance, causant ainsi des maladies ou la mort sans cause apparente (...) Des modifications télépathiques de comportement, qui incluent la possibilité de provoquer des états hypnotiques à des distances de plus de 1000 kilomètres ont été rapportées. L'utilisation de l'hypnose télépathique détient aussi un important potentiel. Cette possibilité pourrait permettre aux agents d'être profondément placés sans la conscience de leur programme. en termes cinématographiques, le Candidat Mandchou vit et n'a même pas besoin d'un appel téléphonique. D'autres techniques d'influence d'esprit à esprit sont considérées. Si elle est perfectionnée, cette capacité pourrait permettre le transfert direct de la pensée via la télépathie d'un esprit, ou groupe d'esprits, à un public-cible choisi. *Le facteur intéressant est que le récepteur ne sera pas conscient du fait que des pensées lui sont implantées d'un source externe. Il ou elle pensera que ces pensées lui sont propres.*"

S'il est possible de communiquer des "pensées artificielles" dans le champ morphogénique via satellite, alors *le contrôle de la pensée de la planète entière est possible.* La seule résistance d'un individu serait alors de constamment remettre en question la motivation derrière ses pensées, et de ne pas agir sur des pensées qu'ils considèrent être à l'extérieur des limites de leurs propres principes "éthiques et moraux." Encore une fois, il est sage de considérer comment la télévision, la publicité et les diverses formes de pression sociale sont constamment utilisées pour manipuler ces limites.

UN ORDRE DONT ON PEUT SE PASSER

CONFIDENTIAL

La technologie de contrôle de la pensée est une *réalité.* Certaines techniques sont utilisées secrètement sur des particuliers, et d'autres sont utilisées ouvertement sur la planète au complet. Allez seulement allumer la télévision. Voilà la plus efficace d'entre toutes!

Et pendant qu'on secoue la tête, incrédules, devant les horreurs qu'on nous montre aux nouvelles, n'oubliez pas ces vieux principes: ***feed-back, renforcement, conditionnement,*** en vous lamentant "pourquoi ces gens font-ils ces chose horribles?" Il serait raisonnable de considérer que "ces gens" reçoivent plus qu'un petit coup de pouce de la part de nos Big Brothers. Après tout, à moins que l'Ancien ordre Mondial ne devienne le pire Ordre qui soit, pourquoi en voudrions-nous un Nouveau?

Je vous laisse avec cette dernière citation. Elle fut dite par Zbigniew Brzezinsky, ancien Conseiller en Sécurité Nationale de Jimmy Carter, dans son livre "La Société Technotronique", qui est presqu'un texte biblique pour les proposants du Nouvel Ordre Mondial. Brzezinsky, le fondateur de la tristement célèbre Commission Trilatérale, a joué un rôle clé dans la campagne électorale de 1988 de George Bush en tant que conseiller en politique étrangère (ça semble un peu bizarre pour un ancien Conseiller en Sécurité Nationale Démocrate, non?), et est un infatigable promoteur d'une philosophie de Gouvernement Unique/Nouvel Ordre mondial:

> *"Dans la société technotronique, la tendance semblerait aller vers le rassemblement du support individuel des citoyens non coordonnés, facilement à la portée d'individus aux personnalités magnétiques et attirantes exploitant efficacement les dernières techniques de communications pour manipuler les émotions et contrôler la raison."*

MINUIT MOINS UNE

Comme le Lt. Col. Alexander l'a dit dans le sommaire de son article du Military Review, "L'information présentée ici sera considérée par certains comme ridicule parce qu'elle ne se conforme pas à leur vision de la réalité, mais certaines personnes croient encore que la Terre est plate."

CONFIDENTIAL

RÉFÉRENCES ET BIBLIOGRAPHIE:

1. Effects of GHz Radiation on the Human Nervous System: Recent Developments in the Technology of Political Control. Auteur: Harlan E. Girard, Philadelphie, PA, USA. Présenté à l'Atelier de Recherche Avancée de l'OTAN sur les Phénomènes Cohérents et Émergents dans les Systèmes Biomuléculaires, Université de l'Arizona, 15-19 janvier, 1991.

2. Terminal Behaviour Experiments by the Central Intelligence Agency under William Casey and Judge Webster. Auteur: Harlan E. Girard, Philadelphie, PA, USA. janvier 1989, révision février 1991.

3. Correspondance avec Stuart R. Hammeroff, Université d'Arizona, Centre des Sciences de la Santé, Collège de Médecine, Département d'Anesthésiologie, Tucson, Arizona. 24 Janvier 1992.

4. The Body Electric: Electromagnetism and the Foundation of Life. Auteurs: Robert O. Becker. M.D. et Gary Selden. Éditeur: William Morrow and Co., Inc. New York, 1985. pp. 317-326.

Il est inquiétant de consater la fréquence avec laquelle les auteurs de ces crimes étaient sous l'influence de tranquilisants ou d'anti-dépresseurs tels que le Valium, Librium, Xanax, Halcion ou Prozac, avant de commettre ces dits crimes. D'autres drogues supposément "anti-psychotiques" comme l'Haloperidol, ont démontré des liens puissants avec les manifestations de violence. Des poursuites ont été engagées contre les principales compagnies pharmaceutiques dans bon nombre de pays pour cette raison, et il y a une énorme quantitié de données qui tendent à prouver que ces drogues *causent* des comportements violents et *ne sont pas* un traitement efficace contre ces violences.

Eli Lilly est le fabricant du très controversé anti-dépressif Prozac 20, que deux millions d'américains utilisaient en 1989. La documentation sur le Prozac déclare que cette drogue peut provoquer "de l'hostilité, de la psychose, des hallucinations, et de l'akathisie", un effet secondaire bizarre qui provoque des comportements extrêmement violents chez les patients. Cela semble très étrange de prescrire une telle drogue à des patients souffrant de dépression. Deux poursuites ont été intentées contre Eli Lilly en 1990 dans lesquelles les effets secondaires du Prozac étaient présumés facteurs contribuants (des cas de meurtre multiple-suicide).

L'auteur de "l'Encyclopédie du Meurtre Moderne", publiée en 1983, observait que les crimes violents et sans raison n'étaient devenus un problème majeur que depuis les trois dernières décennies. Dans l'introduction de son livre, il écrit: "Nous considérons des crimes comme sans motif s'ils ne semblent rapporter rien à personne. Avant 1960 de tels crimes étaient rares, et ceux qui ont eu lieu appartiennent à la fin de la décennie." Serait-il peu raisonnable de suggérer que les produits pharmaceutiques modernes et les pratiques psychiatriques inefficaces puissent avoir un quelconque rapport dans cette montée de crimes gratuits?

Plusieurs chercheurs croient qu'un grand nombre d'individus dans le domaine de la santé mentale provoquent de tels incidents, et qu'ils travaillent de concert avec les compagnies pharmaceutiques et les gouvernements pour aider à instaurer le Nouvel Ordre Mondial dans lequel les sociétés sont contôlées avec de telles drogues, ou serait-ce des **armes chimiques**?

Considérez cette citation du psychologue James V. Mc Connell, qui fut publiée dans un numéro de 1970 de Psychology Today.

CONFIDENTIAL

> *"Le jour est arrivé où nous pouvons combiner la privation sensorielle avec des drogues, de l'hypnose, et la manipulation astucieuse de la punition et de la récompense pour parvenir au contrôle presqu'absolu sur le comportement d'un individu. Il devrait alors être possible de développer une méthode de lavage de cerveau extrêmement rapide et efficace qui nous permettrait d'effectuer des changements radicaux dans la personnalité et les comportements d'un individu (...) Nous devrions réformer de sorte que nous serions tous entraînés dès la naissance à faire exactement ce que la société exige de nous. Nous avons les techniques pour le faire (...) personne n'est le détenteur de sa propre personnalité (...) Vous n'avez pas choisi la personnalité que vous avez, et il n'y a pas de raison de croire que vous devriez avoir le droit de refuser de recevoir une nouvelle personnalité si l'ancienne est anti-sociale."*

[Ci-dessous, une lettre Officielle du Docteur West, Directeur de l'Institut de Neuro-Psychiatrie, Centre des Sciences pour la Santé, Etat de Californie.

Cette lettre montre la volonté, et la collaboration d'autorités médicales en vue de modifier les comportements de violence chez les individus.

N'importe qui, se battant un jour pour protéger sa nationalité, ou pour défendre sa foi, pourra être considéré comme étant violent, comme ayant un comportement indésirable; comme devant subir, médicalement, une altération de ses propres comportements jugés alors dangereux pour la Société Nouvelle!] (30)

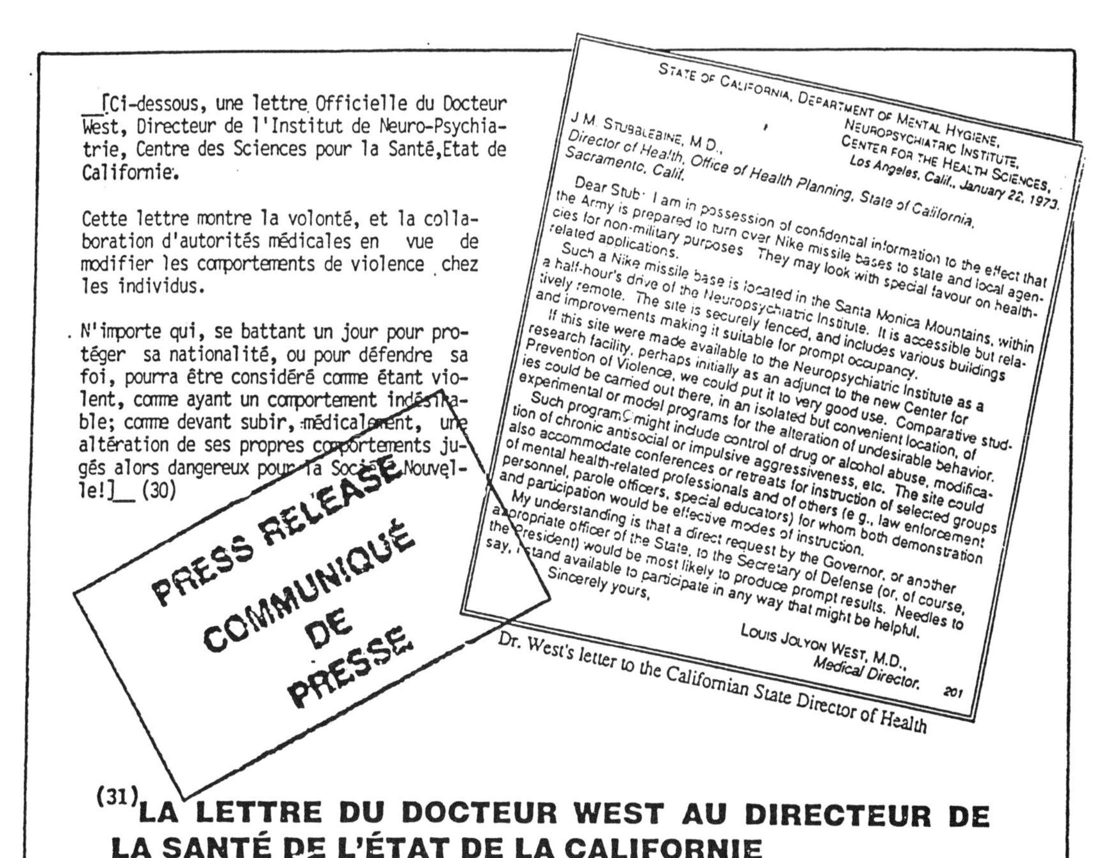

STATE OF CALIFORNIA, DEPARTMENT OF MENTAL HYGIENE,
NEUROPSYCHIATRIC INSTITUTE,
CENTER FOR THE HEALTH SCIENCES,
Los Angeles, Calif., January 22, 1973.

J. M. STUBBLEBINE, M.D.,
Director of Health, Office of Health Planning, State of California,
Sacramento, Calif.

Dear Stub: I am in possession of confidential information to the effect that the Army is prepared to turn over Nike missile bases to state and local agencies for non-military purposes. They may look with special favour on health-related applications.

Such a Nike missile base is located in the Santa Monica Mountains, within a half-hour's drive of the Neuropsychiatric Institute. It is accessible but relatively remote. The site is securely fenced, and includes various buildings and improvements making it suitable for prompt occupancy.

If this site were made available to the Neuropsychiatric Institute as a research facility, perhaps initially as an adjunct to the new Center for Prevention of Violence, we could put it to very good use. Comparative studies could be carried out there, in an isolated but convenient location, of experimental or model programs for the alteration of undesirable behavior.

Such programs might include control of drug or alcohol abuse, modification of chronic antisocial or impulsive aggressiveness, etc. The site could also accommodate conferences or retreats for instruction of selected groups of mental health-related professionals and of others (e.g., law enforcement personnel, parole officers, special educators) for whom both demonstration and participation would be effective modes of instruction.

My understanding is that a direct request by the Governor, or another appropriate officer of the State, to the Secretary of Defense (or, of course, the President) would be most likely to produce prompt results. Needles to say, I stand available to participate in any way that might be helpful.

Sincerely yours,

LOUIS JOLYON WEST, M.D.,
Medical Director.

201

Dr. West's letter to the Californian State Director of Health

(31) LA LETTRE DU DOCTEUR WEST AU DIRECTEUR DE LA SANTÉ DE L'ÉTAT DE LA CALIFORNIE

Cher Stub: Je suis en possession d'informations confidentielles au sujet d'une éventuelle remise, par l'Armée, de bases de Missiles Nike à des Organismes locaux et de l'Etat pour des fins non-militaires. Ils peuvent possiblement regarder favorablement pour des applications reliées à la santé.

Une telle base de missile Nike est située dans les Montagnes de Santa Monica, à une demie-heure de voiture de l'Institut Neuro-psychiatrique. C'est un endroit accesssible quoique relativement isolé. Le site est très bien clôturé, et il s'y trouve de nombreuses installations améliorées, les rendant ainsi accessibles pour une occupation immédiate.

Si le site devait être rendu disponible pour l'Institut de Neuro-psychiatrie en tant qu'installations de recherches, peut-être, pour commencer, en tant qu'accessoire au Centre pour la Prévention de la violence, nous pourrions en faire un excellent usage. Des études comparatives pourraient s'y faire, dans un endroit isolé, mais pratique, sur des programmes, modèles ou expérimentaux, concernant l'altération des comportements indésirables.
Des programmes comme ceux-ci pourraient inclure le contrôle de l'abus des drogues ou de l'alcool, la modification de l'agressivité chronique anti-sociale ou impulsive, etc. Le site pourrait aussi accomoder des conférences ou des retraites pour la formation de divers groupes particuliers de professionnels reliés à la santé mentale, et d'autres, tels: (e.g. personnel policier, officiers de libération conditionnelle, d'éducateurs spéciaux), pour lesquels la démonstration associée à la participation serait un des moyens efficaces

DOCUMENT "LE SIGNE DE LA BETE OU LA MARQUE DE L'ANTECHRIST"
DE FELIX CAUSAS

"Et tous les habitants de la Terre l'adorèrent, ceux du moins dont le nom n'a pas été écrit dans le Livre de Vie de l'Agneau qui a été immolé dès la fondation du monde... Et il lui fut donné d'animer l'image de la bête au point que l'image de la bête parlât, et de faire mettre à mort ceux qui n'adoreraient pas l'image de la bête. Elle réussit à leur faire mettre à tous, petits et grands, riches et pauvres, libres et esclaves, une EMPREINTE SUR LA MAIN DROITE OU SUR LE FRONT ; et elle fit en sorte que nul ne pût acheter ou vendre, qu'il n'eût l'empreinte, le nom de la bête ou le NOMBRE de son nom. Ici réside la sagesse Que celui qui a de l'intelligence calcule le nombre de la bête. C'est un nombre d'homme. Ce nombre est SIX CENT SOIXANTE-SIX".

Livre de l'Apocalypse XIII - 8 et 15 à 18

Depuis la parution des articles *"Vers la Marque Antechristique ?"* (SLB N°3) et *"Une Révolution Tranquille : les Codes-à-barres"* (S.I.B. N°10), les choses sont allées très vite. A l'image de la "concentration" qui s'accélère dans tous les domaines, les "Codabars" se sont imposés dans le monde entier. Ils ont pratiquement TOUT envahi.

Des biens de consommation courante aux médicaments en passant par les livres, les vêtements (etc.) tous les objets sont aujourd'hui marqués. En 1986 les Codabars commençaient à s'imposer en France. Huit ans plus tard leur omniprésence ne choque plus personne. Ils sont devenus familiers !

Nous passerons sur l'aspect pratique qui simplifie considérablement le travail de gestion des stocks des commerçants. L'aspect inquiétant du phénomène ne se situe pas à ce niveau ! Il est passé inaperçu aux yeux du grand nombre qui suit le mouvement comme un long fleuve tranquille, comme un troupeau de moutons qu'on mène à l'abattoir sans qu'il s'en rende compte !

Le grand nombre – maintenu volontairement dans l'ignorance – n'a pas remarqué qu'avec l'apparition des "CODABARS", la prophétie de l'Apocalypse (au chapitre XIII) commençait à devenir une réalité ! Quel moyen idéal d'identification et de fichage ! Des photographies sont alors apparues – ce n'était probablement pas un harsard – nous montrant des mannequins portant un codabar sur le FRONT. Et tout dernièrement l'ouvrage sur les cartes à puces *"Tous Fichés"*, présentait sur sa couverture la photographie d'un homme au crâne rasé avec un superbe codabar sur le front. Nous pourrions multiplier les exemples.

Plus grave, des essais ont eu lieu un peu partout dans le monde ! Ainsi, il y a quelques années, *dans une université américaine,* une expérience très significative s'est déroulée : les étudiants devaient porter sur leurs vêtements – à la manière des médecins et des infirmières dans un hôpital – une carte d'identité sur laquelle était incorporé un codabar. Sans ce codabar, il était impossible de se déplacer pour se rendre aux cours, à la bibliothèque, au réfectoire, etc. Les portes ne s'ouvraient que lorsque le rayon optique avait identifié le codabar de la carte portée par l'étudiant !...

Il y a quelques années également (1988), la ville de Singapour (Malaisie) a testé à grande échelle ce système pendant trois mois sur dix-mille (10000) personnes ! La revue "Science et Foi" (N°10, page 37) signalait que cette mégapole voulait tester le remplacement des cartes de paiement par un CODE-BARRE individuel lisible au laser. Le code était gravé par moitié SUR LE POIGNET et pour moitié SUR LE FRONT. Qui ne serait frappé en se souvenant du texte de l'Apocalypse cité en exergue du présent article ?

Nous avons vu que les codabars de type "EAN" (SLB N°10) incorporaient le nombre fatidique "666", aisément repérable grâce aux trois groupes de deux barres plus longues que les autres (elles débordent vers le bas) au début, au milieu (séparateur central) et à la fin. Ce sont trois chiffres identiques - puisque les barres sont associées des chiffres – qui s'ajoutent au 13 chiffres fonctionnels[1]. Chacun ayant pour valeur "6", ils forment une sorte de griffe nombrant "666" qui se surimpose sur chaque code-barre. Cette marque du "propriétaire", qui n'a aucune utilité pratique, peut-elle être autre chose que le chiffre de la bête signalée au chapitre 13 de l'Apocalypse ?

Une petite précision intéressante : ce code-universel, appliqué depuis 1977, a été approuvé par l'ONU en 1972. Nous avons vu par ailleurs ce qu'il fallait penser de l'ONU, organisme mondialiste par excellence, embryon du futur Gouvernement Mondial ! L'aval des Nations-Unies pour un code qui peut rapidement devenir un danger mondial ne surprendra pas les lecteurs avertis.

Cependant les événements se précipitent à une cadence de plus en plus accélérée. "Un nouveau marquage électronique" est en train de se répandre aux Etats-Unis et maintenant dans les autres pays du monde, à la vitesse d'un feu de brousse. Il concerne pour l'instant les animaux et permet de retrouver, de contrôler et d'identifier les vaches, les moutons, les chevaux, les porcs, les chiens, les chats, les oiseaux et les poissons. Il peut même être utilisé pour tous les produits manufacturés ! De quoi s'agit-il exactement ? Il s'agit d'un minuscule tube de verre, microprocesseur passif, de la taille d'un gros grain de riz (environ 11mm x 2mm) que l'on implante sous la peau au moyen d'une seringue hypodermique. Cette "puce électonique d'identification" (ID Chips) est fabriquée par une société américaine du Colorado : DESTRON IDI[2].

Ces implants de puces électroniques sont aussi appelés "transponders". Les transponders sont des récepteurs-émetteurs radio ou radar activés pour la transmission, par la réception d'un signal prédéterminé. Voilà pourquoi cet implant est dit "passif". Les appareils qui permettent l'identification du bétail (etc.) envoient un signal auquel répond - en écho- la "puce" implantée sous la peau. D'après le journaliste américain Terry I. Cook, qui a constitué un bon dossier technique[3] sur ce "grain de riz" très spécial – dont le nom complet est : Destron Idi Transponder TX 1400 I.X ; il existe d'autres modèles – "La technoloie cachée derrière ce nouveau "micro-chip" n'est pas très compliquée et, avec un peu de raffinement, pourrait être utilisée dans une grande variété d'application pour les humains".

Le plus effrayant, c'est qu'actuellement, une nouvelle version serait en phase d'expérimentation sur l'être humain !... Quand nous vous disions que tout allait très vite !

D'une manière plus que concevable, un numéro d'identification personnel pourrait être inclus dans ce "transponder", numéro assigné à chacun dès sa naissance, et faire partie intégrante de la vie de celui-ci jusqu'à sa mort. Vraisemblablement cette nouvelle "puce électronique" pourrait être implantée sur le front ou le revers de la main..., et servir de "carte d'identité universelle". Ce qui remplacerait les cartes de crédit, les passeports, les permis de conduire, etc. Dans les magasins il suffirait de passer le poignet au-dessus ou dans un "sacnner" pour effectuer ainsi un débit direct sur son compte bancaire..

NOTES :

1 - Ce code comporte "13" chiffres : 3 pour le pays et la région d'origine, 5 pour les producteurs (usine, atelier, etc.) et 5 pour le produit (prix, date, etc.). Chaque chiffre est lui-même réalisé par une juxtaposition de 7 modules blancs ou noirs. Comme le nombre d'arrangements de 7 modules est très supérieur à 10, ce procédé permet d'utiliser simultanément 3 codes dits A, B et C. B est identique à A. mais à l'envers. C s'obtient en inversant les couleurs de A. Le code A n'est utilisé que pour les 6 premiers chiffres de chaque étiquetage, ce qui permet de déchiffrer le code quel que soit le sens dans lequel les caissières des supermarchés présentent les paquets devant l'appareil de lecture optique. Afin d'éviter les "doubles", tous ces codes sont attribués dans chaque pays par un diffuseur unique qui a fait de secret sa règle d'or : Gen Code, filiale du diffuseur américain.

2 - La firme Destron Idi, du Colorado (Etats-Unis) commercialise ses produits par l'intermédiaire de "Infopet" et d'autres distributeurs américains et internationaux. Vous aurez remarqué le prétexte qui servira plus tard – c'est là l'objectif à long terme – à marquer les humains : faciliter le travail d'identification, de leurs troupeaux, par les éleveurs ou autres particuliers. Technique ultra-moderne qui, certes, simplifiera considérablement leur travail mais qui n'en restera pas là !...

3 - Terry L. Cook : *"Implantable Biochip Technology 666"*. Dans ce livre on apprend que le coût d'un de ces "grains de riz" est d'environ $ 4,5 (US).

- DOSSIER -

LES ETRES DE L'ESPACE

EXTRAIT DE L'OUVRAGE "**LES MESSAGERS DE L'AUBE**" SUR LES LIZZIES

"Qui sont ces êtres qui sont arrivés et ont mis en pièces les plans originaux pour la Terre ? Qui sont ces êtres de l'Espace auxquels on réfère parfois comme les T-Shirts Noirs ? Conservez une attitude bienveillante lorsque vous parlez des forces de l'obscurité. Ne parlez pas d'eux comme s'ils étaient mauvais. Comprenez simplement qu'ils sont *mal informés*, et qu'ils créent des systèmes fondés sur l'ignorance parce que telle est la façon dont ils croient devoir fonctionner. Ils se sont battus à une certaine époque et se sont *eux-mêmes* séparés de la connaissance, de sorte que maintenant ils s'accrochent désespérément à leur savoir actuel et à la vie telle qu'elle a évolué pour eux. Il s'agit d'une vie fondée sur la peur, d'une vie qui ne témoigne d'aucun respect pour les autres vies, d'une vie qui utilise les autres formes de vie. Qui sont ces êtres ? Ce sont les reptiles.

Ces êtres de l'Espace sont mi-humains, mi-reptiliens. Nous les appelons les "Lizzies"[1] parce que nous aimons donner à tout ça un ton un peu moins émotif, un peu plus humoristique afin que vous ne les preniez pas tant au sérieux et que vous ne vous en fassiez pas tant. Nous ne sommes pas ici pour vous effrayer – nous sommes ici pour vous informer. Vous savez déjà tout cela en vous, et plus vous en apprendrez sur votre histoire, plus il sera possible à certains d'entre vous d'avoir accès à des souvenirs reptiliens.

1 - vient de Lizard : Lézard.

BALLONS À L'EFFIGIE DES "PETITS GRIS"

SECOND EDITION

FIRE OFFICER'S GUIDE TO DISASTER CONTROL

WILLIAM M. KRAMER, Ph.D.

District Fire Chief, Cincinnati Fire Division
Director of Fire Science, University of Cincinnati

CHARLES W. BAHME, J.D.

Deputy Chief Los Angeles Fire Department (Retired)
Captain, United States Naval Reserve (Retired)
Attorney at Law

Fire Engineering Books & Videos
A PENNWELL PUBLISHING COMPANY

QUELQUES EXTRAITS DE CET OUVRAGE TRES OFFICIEL

INTÉRET DU CONGRES AMÉRICIAN POUR LES OVNI :

L'intérêt de Chuck pour les OVNI a grandement augmenté lorsque le congrès adopta une loi en 1969 (...exposition extraterrestre) qui donna à l'Administration de la NASA la discrétion arbitraire de mettre en quarantaine avec garde armée tout objet, personne ou autre forme de vie qui auraient été exposés à une présence extraterrestre.

Le simple fait que nos hommes du congrès pensaient qu'il y avait la nécessité de prendre une mesure autoritaire aussi drastique fit que Chuck se demanda s'ils pensaient à nos astronautes quand ils l'avaient adoptée. Est-ce que cela pouvait s'appliquer à quiconque avait eu un contact avec un OVNI ?

Si cela a été le cas on non ne peut pas être l'objet des discussions publiques à divulguer.

EXPÉRIENCE DE L'AUTEUR : Nombreux OVNI dans les airs à Los Angeles en 42 - Des chasseurs ont pris les OVNI en chasse mais sans effet :

L'intérêt de Chuck pour les OVNI commença durant les premières heures du 26 Août 1942 pendant qu'il faisait du patin à roulettes de sa maison jusqu'à la station des pompiers à quelques pâtés de maisons de là ; la plainte des sirènes le rappelait à son devoir de pompier et il n'était pas sage de conduire avec les ordres stricts de blackout.

De plus, il était bien plus excitant d'être dehors en plein air où il pouvait voir le spectacle aérien des "feux d'artifice" qui emplissaient les cieux autour de lui. Peu de résidents des Etats-Unis avaient pu voir une invasion réelle ou imaginaire d'OVNI telle que celle qui se produisit et que l'on nomma "Le Raid Aérien de Los Angeles de 1942". L'Armée annonça l'approche d'avions ennemis et le système de détection de raid aérien de la ville se déclencha pour la première fois durant la deuxième Guerre Mondiale. La défense de cette "attaque" est décrite en termes dramatiques dans le paragraphe d'ouverture de ce chapitre.

SUITE DE LA DESCRIPTION :

Mais quel ennemi avait été pourchassé ? Personne ne le sut jamais. Tout ce que les pompiers virent dans le ciel furent 15 ou 20 "choses" mouvantes qui semblaient changer de direction très rapidement sans être apparemment affectées par les éclats d'obus explosant autour d'eux. Les rumeurs selon lesquelles l'une d'entre elles avaient été touchée et détruite ne furent jamais vérifiées, et l'explication que ces envahisseurs zigzagant étaient des ballons de la météo ne fut jamais prise au sérieux. De tous ces événements, cet épisode inoubliable éveilla chez Chuck un intérêt grandissant pour les OVNI, concurrençant ses intérêts professionnels pour la loi et la lutte contre le feu. Le fait que, par la suite, il se trouva être membre d'un groupe qui avait vu les OVNI en vol dont les radars de l'aéroport authentifièrent la présence, nourrit cet intérêt.

INFORMATION DE FOND SUR LES OVNI :

Sans intention d'essayer de prouver ou réprouver l'authenticité des nombreux contacts avec des OVNI relatés par des témoins tout à fait crédibles comme des pilotes militaires et pilotes de ligne, des astronautes, des officiers de police, des pompiers, des membres du congrès et même un président américain, ce chapitre présentera une partie brève sur l'histoire et la nature des OVNI et de leurs occupants présumés ; leurs apparitions s'étendant sur tout le globe depuis des temps anciens, leur apparence, leur mode de propulsion et leurs possibles motifs de continuer leur reconnaissance.

ASTRONAUTES, TÉMOINS D'OVNI :

En 1974 plus d'une vingtaine d'astronautes virent et prirent des photos d'OVNI durant leurs vols au-delà de l'atmosphère terrestre.

Déjà tôt lors de la mission d'Apollo II, qui culmina avec la marche sur la Lune, les astronautes Neil Amstrong, Edwin Aldrin et Michael Collins rapportèrent avoir vu ce qui semblait être un OVNI durant la première moitié de leur vol vers la Lune. Il y eut d'autres apparitions rapportées par des astronautes américains et soviétiques. Le 11 Novembre 1966 les astronautes de Gemini XII Jim Lovell et Edwin Aldrin dirent qu'ils avaient vu 4 OVNI reliés et le 12 Octobre 1964, 3 astronautes russes à bord de Voskod rapportèrent qu'ils avaient été encerclés par "une formation d'objets en forme de disques se déplaçant très rapidement".

LA CIA AVAIT SUPPRIMÉ DES PREUVES DE PRÉSENCE D'OVNI :

Pourquoi le secret ?

Dans leur livre "**Les OVNI sur l'Amérique**", Jim et Carol Lorenzo accusent la CIA d'avoir été étroitement impliquée dans le rassemblement et la suppression d'informations sur les OVNI.

"Les témoins du phénomène ont été corrompus, menacés et réprimés par la CIA qui voulait avoir des preuves valables pour elle seule." L'une des raisons données c'est que les services de renseignements militaires pouvaient voir les OVNI comme les outils d'un ennemi potenteil connu ou pas. "Si ces véhicules se révèlent furtifs et indéfinis, raison de plus pour les suspecter... il y a une forte

probabilité que les esprits aux commandes de ces véhicules soient en train de rassembler des informations pour leur propre compte."
Une autre raison de maintenir le secret serait l'espoir d'obtenir des connaissances sur des méthodes de propulsion avancées et sur des systèmes d'anti-gravité avant que d'autres ennemis potentiels les acquièrent sur terre. C'est pourquoir, bien que beaucoup de nations fassent des enquêtes secrètes sur les OVNI, elles sont peu disposées à partager leurs trouvailles. Robert Lofton, dans son livre "**Soucoupes Volantes Identifiées**", prétend que l'Armée de l'Air est devenue la "chèvre" dans les efforts de la CIA pour débusquer des témoignages de pilotes, techniciens des radars et des observateurs civils fiables.
(...)
Senateur Barry Goldwater, Brigadier Général de l'Armée de l'Air de Réserve et pilote avec des dizaines d'années d'expériences de vol a été cité en ces termes : *« Je crois à l'existence des extraterrestres dans l'espace. Il se peut qu'ils ne soient pas comme nous mais j'ai la forte sensation qu'ils ont dépassé nos capacités mentales. »* Il a dit qu'on lui a refusé le droit de consulter des dossiers de l'Armée de l'Air sur les OVNI et il a ajouté : « *Je pense que des recherches secrètes de haute importance sont menées par le gouvernement sur les OVNI et que nous n'en savons rien et n'en sauront probablement jamais rien sauf si l'Armée de l'Air les révèle.* »

LA NASA A LE DROIT LÉGAL DE METTRE EN QUARANTAINE TOUTE PERSONNE EN CONTACT AVEC UN OVNI :
En vue de la loi fédérale (citée plus haut) donnant le pouvoir aux administrateurs de la Nasa d'arrêter sans audience toute personne qui aurait touché un OVNI ou ses occupants, il est déconseillé d'entrer en contact avec eux sauf si vous êtes prêts à vous soumettre aux exigences de mise en quarantaine de la NASA, si l'on devait invoquer la loi.

- DOSSIER -

LES CAMPS DE CONCENTRATION

COPY

(41)

DES CAMPS DE CONCENTRATION SECRETS?

Nous possédons des rapports, de première main, concernant des activités étranges ayant lieu dans des endroits isolés, sur des terres de Forêts Nationales de l'Orégon et de l'Idaho, et nous sommes portés à croire que ce même genre d'activités de destruction survient aussi en d'autres endroits. Destruction est le terme exact pour signifier le dénuement complet de surfaces de 50 acres et plus par le Service des Forêts, ou par des entrepreneurs privés. Ces terrains sont vidés de toutes branchailles, pierres ou roches ayant plus d'un pouce de diamètre sur toute leur surface, et jusqu'à une profondeur de deux pieds. Puis des clôtures hautes de huit pieds, allant aussi à une profondeur de quatre pieds sous le sol, sont érigées autour de ces périmètres. Alors, qu'avons-nous derrière ces clôtures? Ostensiblement, les clôtures sont là pour empêcher les animaux d'atteindre les plants__car, d'après les Services Forestiers, ce sont des endroits pour faire germer de jeunes plants__.

COPY

Il y a une certaine logique dans tout ceci. Pourtant, le fait d'enterrer la clôture à une telle profondeur, est troublant. A la lumière des plans de l'Administration Bush, soit d'incarcer ceux qui s'opposent un peu trop à sa guerre de banquiers...une autre utilisation pour ces complexes vient à l'esprit.

Les Agents fédéraux ne prennent plus la peine de dissimuler leurs plans pour suspendre la Constitution sous prétexte d'une quelconque urgence...Le FEMA a été prévu, et préparé pour appliquer la future dictature militaire...

....

L'inaccessibilité de ces nouveaux complexes avec, en plus, la volonté des Services Forestiers de cacher ces endroits au public, augmente lourdement l'idée de "Camps de Concentration" construits sur des terres publiques. Et pourquoi pas? ...Les régions naturelles désignées coïncident étrangement avec les ressources naturelles dont on a désespérément besoin...

Le Gouvernement Fédéral a confisqué, en échange de légères compensations, des propriétés privées dans des endroits éloignés, et les a transformées en terrains... pour la chasse...Les simples citoyens ne peuvent se rendre dans ces forêts autrement qu'à pied ou à cheval, et doivent camper de façon primitive, tandis que des hommes... parviennent facilement à leurs quartiers...par hélicoptères.

Quelques-uns d'entre nous, par le passé, ont été embauchés par le Service des Forêts, pour construire des cabanes en rondins dans des régions sauvages, pour les chasseurs et les campeurs. Pourtant, depuis dix ans...des Agents ont systématiquement fait brûler ces cabanes, et des centaines d'habitations privées, sur des exploitations minières légales, forçant pratiquement le peuple à quitter de vastes étendues de terres publiques.

Dans les dernières années, le Gouvernement a établi des permis et des frais pour des tâches aussi banales que celle de couper du bois pour faire un feu...Les règlementations de chasse et de pêche sont plus restrictives que jamais, et dans certains Etats les gardes-chasse sont armés...ce qui mène à d'inévitables confrontations.

Tony Blizzard, The National Educator, California.[41]

(43) **Des Camps de Concentration**

COPY

L'édition de septembre de "The Ostrich" reproduisait un article du CBA Bulletin qui donnait une liste des principaux camps de concentration civils établis dans GOULAG USA sous le programme Rex '84 : Ft. Chaffee, Arkansas ; Ft. Drum, New York ; Ft. Indian Gap, Pennsylvanie ; Camp A.P. Hill, Virginie ; Oakdale, Californie ; Eglin Air Force Base, Floride ; Vandenberg AFB, Californie ; Ft. Mc Coy, Wisconsin ; Ft. Benning, Géorgie ; Ft. Huachuca, Arizona ; Camp Krome, Floride. L'Ostrich de février contenait une carte de ce goulag en expansion. Bien que cette liste et cette carte aient suscité un intérêt considérable, ce rapport n'était pas nouveau. Depuis au moins 20 ans, des Patriotes informés lancent des appels d'alarme pour nous informer des sinistres complots visant à incarcérer les dissidents qui s'opposent aux plans du Syndicat Élitiste pour un Nouvel Ordre Mondial totalitaire. En effet, le complot avait été reconnu avec l'empiétement insidieux du "régionalisme" dès les années '60. Dès 1968, le "plus grand vol de terres de l'histoire", menant à un socialisme industriel global, était dans un "Master Land Plan" pour les États-Unis effectué par un Ordre Exécutif impliquant les régions de ressources en eau, le déplacement et le contrôle des populations, le contrôle de la pollution, le zonage et l'utilisation des terres, les lois de navigation et environnementales, ect. En effet, le vrai but caché de cette soi-disant "Renaissance Environnementale" est l'abolition de la propriété privée.

Cela prélude à la saisie totale faite par la "World Conservation Bank", tel que l'Ostrich l'a rapporté. La carte sur la page ci-contre, ainsi que la liste, ci-dessous, des "Ordres Exécutifs" disponibles pour l'imposition d'une "Situation d'Urgence", proviennent toutes deux des Dossiers des années 70' "d'Alert", de feu le Général P.A. Del Vale; documents qui nous furent envoyés par "Merritt Newby", éditeur du "American Challenge", aujourd'hui fermé.

[J'ai tenté de communiquer avec Meritt Newby, Route 15, Box 197, Athens, Alabama 35611 (205-732-4386), j'ai appris le décès, survenu en Mai 93 d'après ce qui me fut rapporté alors par téléphone, de Meritt.]

COPY

(43)

Applicable Executive Orders

The following Executive Orders, now recorded in the Federal Register, and therefore accepted by Congress as the law of the land, can be put into effect at any time an emergency is declared:

10995—All communications media seized by the Federal Government.

10997—Seizure of all electrical power, fuels, including gasoline and minerals.

10998—Seizure of all food resources, farms and farm equipment.

10999—Seizure of all kinds of transportation, including your personal car, and control of all highways and seaports.

11000—Seizure of all civilians for work under Federal supervision.

11001—Federal takeover of all health, education and welfare.

11002—Postmaster General empowered to register every man, woman and child in the U.S.A.

11003—Seizure of all aircraft and airports by the Federal Government.

11004—Housing and Finance authority may shift population from one locality to another. Complete integration.

11005—Seizure of railroads, inland waterways, and storage facilities.

11051—The Director of the Office of Emergency Planning authorized to put Executive Orders into effect in "times of increased international tension or financial crisis". He is also to perform such additional functions as the President may direct.

THE UPRIGHT OSTRICH / PAGE 7 / MARCH / 1990

-38-

Lexique

Aura : Emanation plus ou moins colorée autour de tout corps humain. Champ de force dégagé par tout être vivant.

Bilderberger : Organisation secrète fondée en mai 1954 en Hollande par le prince Bernard des Pays-Bas. Elle est composée de 120 magnats de la haute finance d'Europe de l'Ouest, des Etats-Unis et du Canada. Ses buts sont l'institution d'un gouvernement mondial d'ici l'an 2000 et d'une armée globale sous le couvert de l'ONU. On l'appelle aussi "le gouvernement invisible".

CFR (Concil of foreign relations) : Avec la commission trilatérale, il contrôle toute l'économie des Etats-Unis, la politique, l'appareil militaire, le pétrole, l'énergie et le lobby des médias. Il est issu de la "round table" dont le but était d'élargir la langue anglaise au monde entier.

CIA : "Central Intelligence Agency", agence américaine de renseignements, service d'espionnage (équivalent de la DGSE).

Club de Rome : Il fut créé par le clan Rockfeller qui le finance aujourd'hui encore. Il regroupe des membres de l'establishment international de 25 pays soit 50 personnes environ. Son but principal est de créer un "gouvernement mondial" en se basant sur l'élite et une religion unique mondiale.

Commission trilatérale : Organisation secrète créée en Juin 1972 par David Rockfeller et Zbigniew Brzezinski. Son but est de réunir dans un seul pool les puissances de pointe des géants de l'industrie et de l'économie (c'est-à-dire, des nations trilatérales, Etats-Unis, Japon, Europe de l'Ouest). Elle vise à créer "le nouvel ordre mondial". Elle permet à l'élite venant des différentes branches de la franc-maçonnerie de se rencontrer à une échelle mondiale pour collaborer à un travail secret et élargir l'influence politique des "Bilderberger". Elle se compose de 200 membres permanents.

FBI : "Federal Bureau of Investigation", service de contre-espionnage américain (équivalent de la DST : Direction de Surveillance du Territoire).

Fraternité du Serpent : D'après des tablettes sumériennes et la thèse de Zécharia Sitchin auteur de "au début était le progrès" et "la douzième planète", il s'agirait d'une confrérie savante qui s'était donné pour but de répandre des connaissances spirituelles et d'atteindre à une liberté spirituelle. Elle combattait l'esclavage d'êtres spirituels et essayait de libérer l'humanité de la servitude des extra-terrestres. L'histoire montre que malgré les efforts jusqu'à nos jours de beaucoup d'hommes dévoués et loyaux voulant instituer une véritable réforme spirituelle à l'aide de la fraternité, la confrérie du serpent devint avec les "illuminati" une arme redoutable d'oppression spirituelle en falsifiant la Bible actuelle sur des points essentiels pour satisfaire le désir de puissance de quelques-uns.

Illuminati : "Ceux qui savent", groupement qui remonte à environ 3 000 ans avant J.-C. et qui infiltra "la fraternité du serpent" à des fins négatives. Leur but est une domination mondiale en créant la division. Ils sont parmi les plus riches du monde et apparaissent rarement officiellement. Ce groupement réapparaît en 1776.

MJ 12 : En 1954, Eisenhower constitue un comité permanent dont le rôle est de superviser et de diriger les activités secrètes ayant un rapport avec les questions extra-terrestres. Il est composé de 12 hauts fonctionnaires. Son but est en fait de détourner la curiosité de la presse et d'autres à ce sujet. Par la suite, des membres de la commission trilatérale en firent partie. Ce comité est encore présent aujourd'hui. Il a porté différents noms, dont le PI 40.

Nations-Unies : Lors du congrès des francs-maçons du 28 au 30 juin 1917 à Paris, ceux-ci décidèrent des principes directeurs qui furent aussitôt votés. Ce fut l'heure de la naissance de la Société des Nations qui vit le jour en 1919 à Genève. Les Nations Unies naquirent de cette Société des Nations en 1945 à San Francisco.

OTAN : Organisation du Traité de l'Atlantique Nord ou Alliance Atlantique - Traité d'Alliance entre les Etats-Unis et certains pays d'Europe.

Plexus : Centres subtils et énergétiques se situant sur le corps humain le long de l'axe de la colonne vertébrale.

Solidarnosc : Syndicat polonais fondé par Lech Walesa qui a joué un rôle important dans le passage du communisme au capitalisme en Pologne.

Société Jason : Dans les douze hauts fonctionnaires du MJ12, six membres font partie de la société Jason. C'est une société occulte formée uniquement d'anciens de Harvard et de Yale. Cette société compte aujourd'hui des membres de la commission trilatérale.

UCLA : University of California - Los Angeles - Université prestigieuse de l'Etat de Californie aux USA.

SOURCES ET BIBLIOGRAPHIE

LIVRES :

- "CELUI QUI VIENT" A et D. Meurois-Givaudan - ED. Amrita
- "PAR L'ESPRIT DU SOLEIL" A. et D. Meurois- Givaudan - ED. Amrita
- "LES MESSAGERS DE L'AUBE" Barbara Marciniak - ED. Ariane
- "LES SOCIETES SECRETES" Jan van Helsing - ED. Monsieur Felix, Chemin des costes 06140 Tourettes sur Loup
- "MES AMIS LES HOMMES DE L'ESPACE" Howard Menger - ED. Dervy
- "LES ANNEES LUMIERES" Gary Kinder - ED. Amrita
- "LA MAFIA MEDICALE" G. Lanctôt - ED. Voici la Clef - Diffusion Altess
- "L'ULTIME SUPERCHERIE" Robert E. WILLNER, M.D. PH.D. - ED. Soleil
- "CONTACTS D'OUTRE-ESPACE" Pierre Monnet - ED. Amrita
- "LE GOUVERNEMENT SECRET" Richard Glenn - ED. Louise Courteau
- "LE MONDE SECRET DE L'OPUS DEI" Michael Walsh - ED. Pygmalion
- "LA DANSE AVEC LE DIABLE" Gunther Schwab - ED. Le courrier du livre

Livre de Pratiques :

- "SOIS" A. et D. Meurois-Givaudan - ED. Amrita

REVUES et JOURNAUX :

- "CONNECTION"
- "INFO MATIN"
- "L'IMPATIENT", 9 rue Saulnier - 75009 Paris.
- "LE NOUVEL OBSERVATEUR"
- "LE MONDE DIPLOMATIQUE"
- "FIRE OFFICER'S GUIDE TO DISASTER CONTROL"
- "LA LUNE SALLE D'ATTENTE" par MELKIOR KARAMENSKI ETRANGETES et MYSTERES numéro hors série juin 92 (pages 24 à 30).
- "LA DOMINATION DU MONDE PAR LES ILLUMINATIS" par HUGO NHART, Rédacteur en Chef de ETRANGETÉS et MYSTERES numéro 4 juin 92.
- "LES PUCES VONT BIENTOT GOUVERNER" ETRANGETES et MYSTERES numéro 24 de mars 96 pages 13 à 22, par HUGO NHART d'après un texte de SERGE MONAST.

DOCUMENT :

- "LA GRANDE VALSE DES VACCINATIONS OU LE REGNE DES SAVANTS FOUS", Dr Alain Scohy, 146 impasse des Cigales - RDC quartier du Bresis - 30100 Alès

Composition : Éditions Amrita — Achevé d'imprimer par **Bussière Camedan Imprimeries**
en mars 1997 — Dépôt légal : mars 1997 — N° d'impression : 4/265

Imprimé en France